Dramas y Poemas para Días Especiales

Número 2

Dramas y Poemas para Días Especiales

Número 2

Por
Adolfo Robleto

EDITORIAL MUNDO HISPANO

EDITORIAL MUNDO HISPANO

Apartado Postal 4256, El Paso, TX 79914, EE. UU. de A.

www.editorialmh.org

Ediciones: 1972, 1975, 1977, 1979, 1981, 1983, 1985, 1988, 1990, 1993, 1995, 1997, 1998, 2000
Decimoquinta edición: 2001

Clasificación Decimal Dewey: 808.82

Temas: 1. Dramas, colecciones
2. Poesía, colecciones
3. Días festivos, programas

ISBN: 0-311-07008-6
E.M.H. Art. No. 07008

5 M 7 01

Impreso en Canadá
Printed in Canada

CONTENIDO

P R O L O G O

Complacidamente ofrecemos a nuestros lectores un nuevo libro intitulado *Dramas y Poemas Para Días Especiales, No. 2,* siendo que hay otro con el mismo título y el cual ya tiene varias ediciones. Es nuestro propósito de tiempo en tiempo publicar otros con el mismo tema, por lo que sugerimos al lector que vaya formando su colección.

En este nuevo tomo se incluyen otros "días especiales" que no aparecen en el anterior. Hay en él material poético y dramático para niños, jóvenes y adultos. Es nuestro deseo que esta colaboración literaria y cristiana que hacemos a las iglesias evangélicas de habla española, resulte en mucha utilidad e inspiración en la celebración sana de esos días especiales. Si alguien desea hacer alguna sugerencia práctica o solicitar material que en su opinión hace falta para días especiales, favor de dirigirse al autor de este pequeño libro, el señor

—Adolfo Robleto

FIN Y COMIENZO DEL AÑO

Vivir Es Viajar

Todos viajando en la vida vamos,
el tren del tiempo nos lleva lejos;
fue ayer apenas que comenzamos
y algunos ya nos sentimos viejos.

No estamos nunca en el mismo punto
en este vasto sideral espacio;
y aunque parece extraño asunto:
vamos de prisa más que despacio.

Tampoco es el momento mismo
que en el tiempo viviendo estamos:
todo se hunde en el voraz abismo,
somos nosotros los que pasamos.

Las cosas cambian constantemente,
nada es igual de hoy a mañana;
en otros tiempos hubo otra gente
que hoy es tan sólo una sombra vana.

Un día todos a la tumba iremos,
pues somos polvo que al polvo vamos;
y los tesoros que hoy tenemos
serán recuerdos que atrás dejamos.

Mas sin embargo, habrá victoria,
porque nuestra alma es inmortal:
el cuerpo muerto vestirá de gloria
en la mañana dulce y triunfal.

Sonad, Campanas

Decid adiós, campanas, hoy,
al cielo azul de amor y luz;
el año pierde su vigor:
mueren las notas de su laúd.

Dejad oir nueva canción

hasta el confín del ancho mar;
el año viejo terminó,
decid que el nuevo ríe ya.

Quitad del alma penas mil
por los que hoy no existen más;
traed la unión de todos, sí,
y viva en paz la humanidad.

Que no haya más enfermedad,
ni por el oro triste ambición;
las guerras todas que cesen ya
y el mundo goce la paz de Dios.

Sonad, campanas, el canto fiel
de libertad y de valor;
venga la luz y reine el bien,
Cristo es el Rey, Cristo es el Rey:
sonad por Cristo, el Salvador,
campanas, hoy, sonad mejor.

Ayer y Hoy

Muchos años mi alma sufrida
fue en busca del gozo y la paz;
muchos años en vez de la vida
se encontró con la muerte voraz.

Fueron días de angustia y de espanto
en que el mundo sus garras hincó;
y empapóse mi alma de llanto
por el fiero dolor que sintió.

En su noche vestida de luto
se asomó una estrella de amor;
y mi amarga tristeza, al minuto,
se trocó en festín de esplendor.

Al conjuro de besos divinos,
que eran perlas que el cielo lanzó:
transité por los nuevos caminos
que el Señor con sus manos trazó.

Fue un ayer de pesares ingratos,
un ayer de inestable vivir,

en que fueron muy largos los ratos
de un profundo y terrible sufrir.

Hoy, en cambio, el cuadro es distinto,
hoy disfruto de dulce solaz;
es mi vida glorioso recinto
en que admiro de Cristo la faz.

El ayer se quedó sepultado,
mas el hoy es retoño de amor;
dejo atrás, muy atrás lo pasado,
pues hoy sigo en pos del Señor.

Al Morir el Año

Las horas de otro año esfumándose van,
Y corren veloces y no volverán;
Y muchas memorias de cosas de ayer
Provocan dolor y placer.

Coro

Oh Cristo, derrama tu gracia y amor,
Sin ti no podemos vivir;
Y la lucha es muy grande y nos falta valor,
Tu potencia queremos sentir.

Mil gracias te damos, oh Dios, otra vez:
Por cada expresión de amor santo y fiel,
El año que pasa no regresará,
Mas Dios con nosotros está.

Este año a Jesús es mi anhelo servir,
Su rostro mirar, sus pasos seguir;
Y cuando la muerte me venga a llevar,
Al cielo yo iré a gozar.

*(Letra adaptada a la música del
himno "Placer Verdadero Es Servir a Jesús".) No. 333 de El Nuevo Himnario Popular.*

Dramatización

Los Deseos de los Doce Meses del Año

EXPLICACION. Se descorre el telón y el escenario aparece a media luz. En un lado se ve a una joven que representa el Año Viejo. Se ve como triste. Habla y se va. Luego se ilumina el escenario y entra otra señorita que representa el Año Nuevo. Se coloca en el centro hacia el fondo. Habla, y se queda allí. Luego van entrando las señoritas que representan a los doce meses del año. Al colocarse van formando una V abierta, quedando el Año Nuevo como el vértice del ángulo, y los primeros seis meses en un lado y los otros seis meses en el otro lado. Frente al Año Nuevo hay una candela prendida. Cada señorita, al ir entrando lleva una candela y la prende con la llama de la candela en el centro. Al colocarse en su lugar respectivo dice la estrofa que le toca. Cuando entra la que representa el mes de diciembre, se apagan las luces y queda sólo la luz de las candelas. Acto seguido entra un joven que representa El Tiempo y, empezando en enero, va apagando las candelas una por una y sale por el otro lado. Cada señorita, al apagarse su candela, inclina la cabeza. Después todas cantan la estrofa y el coro adaptados a la música del himno "Usa Mi Vida" (No. 372 de *El Nuevo Himnario Popular*), pero con la cabeza inclinada. Con las últimas palabras del coro se baja el telón. Las señoritas pueden ir vestidas con vestidos largos y de colores diferentes. Sobre el pecho pueden llevar una cinta con el nombre del mes en letras grandes.

AÑO VIEJO

Yo ya estoy para morir,
Pocos momentos me faltan;
Siento un poco de sufrir
Y temores que me asaltan.

Me hundiré en el abismo
Del tiempo, que todo traga;
Nunca más seré el mismo,
Sino una sombra muy vaga.

De todos hoy me despido,
Yo ya cumplí mi misión;
Me voy muy agradecido,
El pasado es mi mansión.

AÑO NUEVO

Soy el año que comienza
Su camino a recorrer,
Pido a Dios inteligencia
Para año bueno ser.

Doce meses tengo yo,
Que del tiempo anillos son;
El Creador les encargó
Ser puente de sucesión.

Cada mes una esperanza
Es de luz, de paz, de amor;
Hay que tener la confianza
De un porvenir mejor.

Oigamos, pues, los deseos
Que los meses cumplirán,
En rápidos aleteos
Sus regalos lanzarán.

ENERO

Yo soy la puerta de entrada,
Y enero mi nombre es;
Les deseo paz fundada
En los días de mi mes.

FEBRERO

Pues yo me llamo febrero
Y el menor de todos soy;
Un tiempo muy lisonjero
Les ofrezco desde hoy.

MARZO

Un saludo cariñoso
El mes de marzo les da,
Tengan ustedes el gozo
Que felices les hará.

ABRIL

En abril la primavera

Manto verde es de amor;
Una vida placentera
Les conceda el Creador.

MAYO

Yo soy el mes de las rosas
Que dan gracia por doquier,
Les deseo muchas cosas,
Que les den sano placer.

JUNIO

Yo llevo el nombre de junio,
Yo soy el mes del amor,
De pesares e infortunio
Les libre nuestro Señor.

JULIO

Julio es el séptimo mes,
Y os desea libertad;
Y triunfo y paz a la vez
Y firmeza en la verdad.

AGOSTO

Agosto viene después,
Y aunque es tiempo de calor,
Para todos tiempo es
De buscar al Salvador.

SEPTIEMBRE

Yo soy el mes de septiembre,
Mi deseo expresaré:
Quiero que en todos se siembre
De Dios una santa fe.

OCTUBRE

Estamos en pleno invierno,
El mes de octubre yo soy;
El Dios del cielo es eterno,
Yo en pocos días me voy.

NOVIEMBRE

El año se está acercando
A su fin inevitable;
Y noviembre va pasando
Deseándoles paz estable.

DICIEMBRE

Dios ha sido bondadoso
Al darnos mil bendiciones;
Diciembre canta con gozo
Al que es Rey de las naciones.

Hoy cedemos, pues, el paso
Al nuevo año que empieza;
Ha llegado nuestro ocaso,
El tiempo es cosa que cesa.

(Entra El Tiempo y apaga las candelas.)

LOS MESES CANTAN

El tiempo viene y el tiempo se va,
Somos las sombras de ayer;
Todo sujeto a los cambios está,
Breve es la vida del ser.

Coro

Dios es eterno; él nunca cambia.
En él creemos con fervor.
En este año y siempre, Señor,
Tu gracia danos y tu santo amor.

Oración de Año Nuevo

Señor, tú me has dado un año limpio y nuevo.
Ayúdame sus páginas puras conservar;
quiero escribir en ellas sólo pensamientos buenos,
sin intenciones malas que tenga que borrar.

No permitas que ensucie mi boca o mi mano
esta página blanca que tan pura se ve.
Haz, oh Dios, que yo sepa que en mi llanto humano
pronto auxilio amoroso a tu lado tendré.

Que tu gozo me inunde al cumplir mi deber;
estar siempre yo quiero en tu fiel voluntad.
Y la voz de tus labios que me causa placer
siembre paz en mi alma, una paz de verdad.

Condúceme, Señor, por sendas tranquilas,
pero si acaso éstas se abrieron por
caminos de montañas encrespadas y en filas,
haz que yo te responda, "Heme aquí, Señor."

(Traducido del inglés).

Mi Regalo de Año Nuevo

Puesto estoy en tu altar, oh divino Señor,
mi obsequio acepta hoy por amor de Jesús.
No tengo joyas con qué darte honor
ni del mundo fama que irradie luz.
Mas te traigo en mis manos temblorosas
mi voluntad, aunque pequeña es;
pero tú, que conoces las cosas,
quiero que a mi entrega tu aceptación des.

Estando tú en mí podrás contemplar
luchas de pasión, visiones de solaz,
todo cuanto soy, todo mi desear,
amor y esperanzas, y otras cosas más.
Lágrimas, suspiros en mi alma hay
en nudo apretado de acerbo dolor;
quiero ante tu estrado mi oración elevar:
haz tu voluntad y no la mía, Señor.
Mi voluntad completa, oh Padre, te doy,
fúndela en la tuya, de tal manera,
que aun cuando me asedie la desesperación
y entonces llamar a la muerte yo quiera,
me sienta, no obstante, tan cerca de ti,
que vuelva a la vida, al amor, a la fe,
y que otra esperanza renazca en mí
que nuevas victorias en la lucha me dé.

(Traducido del inglés.)

PASION, MUERTE Y RESURRECCION DEL SEÑOR

Getsemaní

Una noche de luz
el divino Jesús
fue al huerto de Getsemaní.
Sus rodillas dobló
y entonces oró
a la sombra de olivos de allí.

CORO

En tan grata quietud,
en tan grata quietud,
se escuchó la oración de dolor:
"Sea hoy en verdad
hecha tu voluntad,
y no como yo quiero, Señor."

Y la lucha fue tal
que cargó con el mal
de los hombres en su perdición.
Y por ellos sufrió
cuando al huerto llegó
a orar con intensa fruición.

No oraron con él
en el santo vergel
los discípulos que él escogió;
y al irles a hablar
tuvo un hondo pesar,
pues dormidos Jesús los miró.

Cante yo con loor
el divino amor
de Jesús que intercede por mí.
Gloria siempre le doy
y feliz vivo hoy
por el Siervo de Getsemaní.

(Esta letra se puede cantar con la música del himno "Neath the Old Olive Trees", de The Broadman Hymnal. © Copyright 1929. Renovado, 1957, Broadman Press. Usado con permiso.)

El Arbol de la Cruz

Como árbol de vida sembrado
Se levanta en el monte una cruz,
Cuyo fruto exquisito y preciado
Es el bueno y humilde Jesús.

De ese árbol la sombra bendita
Es un manto que brinda amistad,
Y al hombre perdido lo invita
Para darle perdón, sanidad.

Sus raíces metidas muy hondo
En los planes divinos están;
Ellos son el sublime trasfondo
Que vislumbres de gloria nos dan.

Y sus brazos son ramas frondosas
Que aseguran leal protección;
Sin espinas revientan las rosas
Para ser por la fe bendición.

Tiene ese árbol su copa erguida,
Y hasta el cielo llegó a tocar:
Para abrirnos las puertas de vida
Y en el cielo hacernos entrar.

¡Oh el árbol glorioso de Cristo!
Donde él por nosotros murió;
Todo allí ha quedado ya listo:
Dios la muerte de su Hijo aceptó.

Mi Bendito Redentor

Hacia el Calvario, mi Salvador,
una mañana triste subió;
y amarga muerte, llena de horror,
sobre una cruz él por mí sufrió.

CORO:

¡Oh cuán divino! ¡Oh cuán precioso!
Miro su cuerpo sangrando por mí;
y hoy canto alegre, vivo gozoso,
desde ese día que en él creí.

"Padre, perdona, ten compasión,
ellos no saben que hacen muy mal.
Yo doy por todos mi corazón
para que tengan paz celestial."

¡Oh cuánto le amo, mi Amigo fiel!
Servirle quiero y honrarle más;
mi vida toda es sólo de él,
gloria a su nombre siempre jamás.

Las Siete Palabras

Jesús colgado en la cruz estuvo
Por varias horas en angustia cruel;
Y para todos palabras tuvo
De amor divino, excelso y fiel.

Abrió sus labios de dolor marchitos,
Pero en su pecho el corazón latía
De sentimientos muy exquisitos
Por quienes él con lealtad moría.

"Perdona, Padre", oró piadoso,
"A los que cumplen la orden vil;
Son ignorantes del mal odioso
Que hacen en mí y en tu redil."

Después contesta la petición
Que le hace humilde y arrepentido
Dimas, el hombre malo y ladrón,
Que su castigo se ha merecido.

Y así le dice: "Hoy estarás
En el descanso del Paraíso,
Y junto a mí allí tendrás
Todo lo bello que el Padre hizo."

Después dirige palabras buenas
De muy correcta preocupación

A su angustiada madre, que en penas,
Ve, sin protestas, la ejecución.

"Mira a tu hijo, Juan el amado,
Pues él las veces por mí hará:
De ti en el mundo tendrá cuidado,
Y siempre listo te ayudará."

Llegó el momento angustioso y cruel,
En que el Señor soledad sintió,
Y cual si fuese amarga hiel
De su alma un grito se escapó:

"¿Por qué, oh Padre, me desamparas?
¿Por qué me dejas sufriendo solo?
Vuelca el infierno mil cosas raras
Sobre mi cuerpo que en cruz inmolo."

Y después exclamó con angustia:
"Sed tengo", y agua quiero beber;
Y su lengua siguió seca y mustia:
Nadie quiso el agua ofrecer.

"Ya consumada mi obra está",
Agrega ahora el Cristo fiel;
Para el que crea perdón habrá,
Y dicha eterna muy cerca de él.

Y entonces llega el fin atroz,
Cristo se expresa la última vez:
"Hoy en tus manos", le dice a Dios,
Dejo mi espíritu, que tuyo es."

¡Jesús Resucitó!

Una tarde tenebrosa
En la tumba puesto fue
El Señor de los señores,
Quien es el potente Rey.

Coro

Mas se levantó, mas se levantó
De la tumba victorioso;
Y a la muerte ya venció,

Pues Jesús resucitó:
El ahora es mi Salvador.

Todos tristes se encontraban
A la muerte del Señor;
Sus palabras recordaban
Llenas de su inmenso amor.

El sepulcro no podía
Para siempre retener
Al que vino a darnos vida,
Pues muy grande es su poder.

Nosotros también un día
Hemos de resucitar:
Habrá paz y alegría
Con Jesús en gloria estar.

(Letra adaptada a la música del himno "Satisfied With Jesus", No. 375 de The Broadman Hymnal.)

DIA DE LAS MADRES

La Madre Meciendo a su Niño

¿Queréis contemplar el cuadro
de amor paciente y sublime,
en donde se escucha el canto
del fiel corazón que gime?

¿Queréis palpar la ternura
que es miel que endulza la vida,
que disipa la amargura
y venda la cruel herida?

¿Queréis ver el sacrificio
que vale más que el diamante,
porque siempre está propicio
al dolor del tierno infante?

¿Queréis tener una idea
del trabajo del amor,
que en donde quiera que sea
deja paz alrededor?

¿Queréis sentir un poquito
de cielo aquí en la tierra?
¿Y oir el férvido grito
de quien no quiere la guerra?

Entonces venid conmigo
al recinto del hogar:
allí una madre con su hijo
se les puede contemplar.

Ella está regocijada
con el hijo de su amor;
se le ve ilusionada
pues para ella es un primor.

En sus brazos de mujer
meciendo a su niño está,
y lo mira con placer
por el gozo que le da.

No todo es triste en la vida,
no sólo reina el dolor;

por cada madre querida
existe un hijo de amor.

La madre cuida a su niño,
cual si fuese tierna flor;
le prodiga su cariño
él es su dicha mejor.

Oración por mi Madre

Con fe me acerco a tu trono,
Oh Dios de amor y poder,
Y humildemente te imploro
Por una santa mujer:
Que es la madre de mi ser.

Por ella, a quien amo tanto,
Yo te pido bendición,
Para que guíe mis pasos
Con la dulce inspiración
Que tú das al corazón.

Aunque ella es débil de cuerpo
A su alma fuerzas da,
Para que en todo momento
Sostenida por Jehová
Esté donde su hijo está.

Que tu gran sabiduría
Sea luz en su camino,
Y en el centro de su vida
Viva el celeste Rabino
Dirigiendo su destino.

No te pido las riquezas
Que este mundo ofrece hoy,
Dame de ella las respuestas
A las preguntas: ¿Quién soy?
¿Y a cuál destino es que voy?

Que mi madre pueda ver
A sus hijos trabajando,
Y sienta el gozo también

De que estamos estudiando
Y paso a paso triunfando.

Y cuando llegue la hora
De su partida final,
Que ella no se sienta sola
Sino envuelta en el ideal
De su Padre celestial.

Pensando en las Madres

Hoy es el Día de la Madre. Cuán justo, bueno y hermoso es que siquiera durante un día en el año pensemos de un modo especial en ella. La madre es digna de lo mejor. Ella conoce a fondo las inquietudes, las zozobras, las alegrías y los triunfos de sus hijos; está lista para alentarnos en la lucha por la existencia, para consolarnos con ternura cuando el fracaso nos abate y para gozarse con nosotros en los momentos de victoria y de progreso.

Ella es el ángel puesto en la tierra para nuestro cuidado y protección. Aunque débil por naturaleza, en su amor y abnegación adquiere toda la fuerza que la capacita para enfrentarse con arrojo a las vicisitudes y adversidades de la vida y forjar con sus dignificadas manos el porvenir de sus hijos.

¡MADRE! ¡Cuánto se encierra en esta palabra! ¿Quién, al pronunciar su nombre, no siente vibrar las cuerdas íntimas del ser? Cuando estamos lejos de ella, cuánta tristeza invade nuestro corazón. El solo recuerdo de sus caricias, de sus solicitudes y preocupaciones hace deshacer nuestra alma en sollozos y suspiros nostálgicos.

Nada hay difícil para una madre. Ella posee el secreto de conseguirlo todo para el bienestar de sus hijos; descubre aun las oportunidades más insospechadas y riega con sus lágrimas perseverantes y tiernas el sendero de los que son pedazos de su mismo corazón.

La madre es revelación encarnada de Dios, porque ella, más que ningún otro, después de Jesucristo, refleja en su misión la naturaleza divina, que es amar y redimir.

Vaya en este día dedicado a ellas, nuestro himno de gratitud y amor imperecedero a las que ya declinaron gloriosamente en el campo de la lucha y duermen tranquilas el sueño de la muerte, y nuestra más viva simpatía, respeto y admiración a las que aún nos fortalecen con sus brazos de amor y nos llevan a Dios con sus plegarias de fe.

La Madre

Hay nombres que al pronunciarlos evocan en nuestra mente los más dulces recuerdos y reviven en la imaginación cuadros de amor y de ternura. Esos nombres son como llaves de oro que abren los sentimientos de nuestro corazón y derraman sobre el sendero de nuestra vida una lluvia luminosa de melodía, de perfume y de solaz. ¿Quién negará que el nombre de madre posee tan maravillosa y encantadora virtud?

Preguntad qué es la madre, y un millón de corazones repletos de amor y agradecimiento, os responderán en coro armonioso lo siguiente:

La madre es el bendito oasis en donde nuestras almas, peregrinando por el desierto de la existencia, encuentran paz y descanso, sustento y frescura.

La madre es la estrella rutilante que convirtiendo en cielo su hogar, irradia la luz del ejemplo para iluminar el camino de sus hijos.

La madre es la linda y colorida flor que transforma su casa en atractivo jardín, en donde exhala el grato aroma de sus palabras, de sus consejos y de sus cariños, llenando el ambiente de una sana alegría y haciendo escapar los problemas domésticos por la ventana del optimismo.

La madre es la maestra que vive enseñando, no sólo con el hablar, sino también con los gestos del rostro y con las actitudes de su espíritu, sonriente siempre ante las privaciones, serena ante los problemas y ocupando el centro del sabio equilibrio en los vaivenes del duro vivir. Porque ella sabe que Dios ha puesto en sus manos vidas en cierne para que las moldee, la arcilla plástica y providencial que son los hijos.

Y también la madre es la sacerdotisa en el altar de la familia, que con sus fervientes plegarias intercede ante Dios a favor de sus hijos y constituye su hogar como si fuese un templo en donde el incienso de la adoración a

Jesucristo se enciende cada mañana y la atmósfera se inunda con los cánticos de gozo y gratitud.

Todo eso es la madre, y aun más, porque ella es consciente de su vocación y porque aun siendo débil físicamente saca fuerzas de las entrañas de su corazón amante, porque en su instinto maternal ha descubierto el secreto del más alto altruismo y porque el hijo de su vientre es ahora para ella la llama fulgurante de su ideal y la razón suprema de su existir.

Por eso la madre, aun no teniendo trono es reina, aun siendo pobre es rica, aun siendo fea es bella y aun siendo frágil es poderosa, porque ella es soberana en el hogar, posee el tesoro de la gratitud filial, la gracia de su espíritu la hermosea y la potencia de su amor la hace vencer obstáculos.

Madre que lees estas líneas, ¿eres tú así? ¿Te has hecho merecedora al reconocimiento de la humanidad? ¿Eres digna de tu elevada misión? ¿Podrán tus hijos erigir a tu paso arcos de felicitación y de aprecio? Dios te hizo madre al permitirte concebir un hijo, pero, ¿te haz hecho tú verdaderamente madre al criarlo y educarlo con paciencia, con sacrificio y con sabiduría? Eres madre: incomparable privilegio; eres madre: mayúscula responsabilidad. Busca el auxilio divino y de seguro triunfarás.

Las Manos Arrugadas de mi Madre

El otro día me quedé mirando fijo las manos de mi madre. Ella estaba tendida sobre la cama, descansando un rato, y no se percató de mi entrada furtiva a su alcoba. La miré de pies a cabeza, pero sus manos me llamaron mucho la atención.

Las manos de mi madre están arrugadas. Sus venas se ven abultadas y gruesas líneas de piel, como cordoncillos dispersos, se cruzan entre sí. De pronto, sus manos me parecieron feas. Pero me puse a meditar en lo que esas manos significaban para mí, y, al mirarlas de nuevo, las vi hermosas, dignas, fuertes, como envueltas en una luz diamantina.

Esas manos fueron tiernas y débiles un día; luego fueron creciendo y cobraron fuerzas, y se hicieron bonitas. Pero el peso de los años y el sello del trabajo las envejecieron y arrugaron. Ahora son manos de una mujer anciana, encina noble que se ha ido doblegando ante los ímpetus de la vida.

Yo amo esas manos. Ellas se abrieron para cargarme cuando yo era apenas un bultito de carne y huesos. Siempre estuvieron solícitas para guiar mis pasos, trémulos en mi niñez, inciertos en mi juventud y aun no siempre firmes en mi adultez. Esas manos prepararon con amor sin igual los alimentos que me dieron vida. Más de una vez apretaron la vara para castigarme por alguna falta cometida. Fueron manos constructoras, que tenían el encanto de transmitir amistad e inyectar estímulo. Por los dedos de esas manos se derramó la luz de un corazón amante, o fueron como hilos dorados que se entretejieron a mi alrededor para darme protección. En el hogar esas manos se mantuvieron ocupadas haciendo mil cosas, siempre abiertas para hacer el bien. Ahora son manos temblorosas, arrugadas y sin mucha fuerza. Pero no han dejado de ser una inspiración para mí, porque ellas todavía se estiran para abrirle la puerta al hijo que vuelve a la casa, para sostener la taza de café con que me obsequia durante mis visitas, o para saludar a cuantos se acercan a ella.

En la tela de la historia, las manos de las madres han hecho mucha labor. Antes de salir del cuarto, yo me incliné y besé las manos, las bellas manos de mi dulce madre. Hijo, ¿te has detenido a contemplar las manos de tu madre?

NOTA: Se puede hacer la lectura en voz alta de estos trozos literarios, haciéndose oír una suave música de fondo. Tal vez un cuadro de unas manos arrugadas, frente al público, le dé mejor efecto a la lectura, la cual puede hacerla un joven o una señorita.

DIA DEL NIÑO

¿Qué Es el Niño?

¿Qué es el niño? me preguntas:
Es misterio del amor.
Es la gota diminuta
Del océano del Señor.

Es la flor más perfumada
Que aquí puedes encontrar;
Es la perla más preciada
Que ha producido la mar.

Es el niño la poesía
Que deleita al corazón;
Es del hogar la alegría
Y del mundo la atención.

Es el rayo luminoso
Que emana del vivo Dios;
Es arpegio melodioso
Que vibra del aire en pos.

Es la música divina
Que hace a nuestra alma llorar;
Es la estrella matutina
Que despierta en el hogar.

MATRIMONIO

Himno Matrimonial

Oh Señor en tu presencia
Viste galas el amor,
De alegría y complacencia,
Bello cual preciosa flor.

Coro

Hoy derrama bendiciones
En la senda del vivir;
Y que en sus corazones:
Gozo y paz puedan sentir.

Y tu dulce compañía
Como el sol irradie luz:
Los alumbre noche y día
En su vida, buen Jesús.

Que ese amor que hoy los une
Ante el fuego del altar:
Sea un lazo que perdure
En el rudo batallar.

Y el hogar que hoy comienza
Sea Edén de paz y amor:
Donde encuentren fiel defensa
La lealtad y el honor.

*(Letra adaptada a la música de
"Cristo, Mi Piloto Sé.")*

Epitalamio

Esta noche risueña y hermosa,
De alegría profusa y de luz:
Cual dos pétalos bellos de rosa
Y al amparo del santo Jesús,
Llenos dos corazones de ardor,
Se han unido en amor.

Quiera Dios bendecirles la vida
Y les muestre la senda mejor;
Que él llame: "Mi esposa querida"
Y ella diga: "Mi cándido amor."
Sólo así obtendrán grata paz
Para siempre jamás.

Que la risa que hoy tienen los labios
Siempre llene de gozo el hogar;
Evitad con valor desagravios,
Nunca deis al pecado lugar;
Mas oíd todo el tiempo de Dios
Su vívida voz.

Que ese amor que ha servido de lazo
Para unir vuestros dos corazones,
Nunca sufra el menor embarazo
Ni se apague cual tibios carbones.
Sed felices, y sólo la muerte
Os cambie de suerte.

DIA DEL PADRE

El Padre

Demos gracias en esta ocasión
Por el padre que el cielo nos dio;
Por su noble y gentil corazón
Que con fuerza y paciencia nos crió.

Nuestro padre es árbol de bien
Cuya sombra protege al hogar;
Recibimos los frutos también
Porque él sabe lo que es trabajar.

La presencia del padre en la casa
Orden trae y respeto a la vez,
Y la madre en él se solaza
Porque todo su apoyo él es.

Son dichosos los hijos que tienen
A su padre muy cerca de sí,
Y al sentir los problemas que vienen,
El es de ellos refugio aquí.

Celebremos, entonces, contentos
En el "Día del Padre" a papá;
Y que hoy pase felices momentos
Con sus hijos y nuestra mamá.

No Quiero que Tomes, Papá

El otro día te vi
Saliendo de una cantina
Y muy dolorosa espina
En mi pecho yo sentí.
No quiero verte allí
En ese lugar del vicio,
Donde ningún beneficio
Nunca podrás encontrar;
Deja, papá, de tomar,
Te hace mucho perjuicio.

Yo soy tu hijo pequeño

Y te amo mucho a ti;
En el mundo para mí
Tú eres mi padre, mi dueño.
Yo quiero con gran empeño
Dedicarme a estudiar,
Quiero también trabajar
Y honra a tu nombre traer,
Debo de ti aprender,
Buen ejemplo tú has de dar.

La existencia tú me diste,
Y me has dado de comer;
Me has ayudado a crecer
Y un ideal en mí pusiste.
Por eso siento que existe
En mi pecho gratitud,
Y deseo tu salud,
Que siempre vivas contento
Y poseas el ungüento
De la eterna juventud.

Yo creo que en todo el mundo
Tú eres el padre mejor,
Te lo digo con amor
Que por ti llevo profundo.
No vayas por el inmundo
Camino de la bebida,
No arruines, padre, tu vida
En el cieno del pecado,
Oye a tu hijo amado,
Piensa en mi madre querida.

Quiero sentirme orgulloso
De siempre poder decir
Al que lo quiera oir:
Mi padre es muy virtuoso,
Hombre cabal, vigoroso,
Dedicado a su hogar,
Que le gusta trabajar,
Los buenos libros leer,
Y en la Biblia aprender
Cómo a Jesús adorar.

Te prometo, padre mío,
Si tú dejas de tomar

Que en mí tú podrás llenar
De tu alma el triste vacío;
Y tu loco desvarío
Será sombra del ayer,
Porque un nuevo placer
Habrá entrado en tu vida,
Y una amistad bendecida
Podremos los dos tener.

Entonces en este día
El dulce nombre bendigo,
De mi padre, de mi amigo,
El que me causa alegría;
Y te pide el alma mía,
En el nombre del Señor,
Que abandones el licor,
Que aborrezcas la cantina,
Y que me quites la espina
De mi llanto y mi dolor.

¡Qué Bueno que Es Papá!

(Diálogo entre dos hermanitos: una niña de nueve años
y un niño de ocho años. En la sala de estar.)

NIÑA:

Yo quiero mucho a papá
Porque él es bueno conmigo;
Lo que le pido me da
Y me oye cuanto le digo.

NIÑO:

A mí me lleva a pasear
Y me agarra de la mano;
Después se pone a jugar
Como si fuera mi hermano.

NIÑA:

Cuando me siento cansada
Papá me pone en sus piernas,

Y en melodiosas tonadas
Me canta canciones tiernas.

NIÑO:

Si estoy enfermo en la cama
Papá se acuesta conmigo,
Me declara que me ama,
Y que es mi mejor amigo.

NIÑA:

Oye, hermano, ven acá,
Yo propongo con razón
Que algo hagamos por papá,
Que le dé satisfacción.

NIÑO:

Me parece buena idea,
Por papá yo algo haré,
Cuando lo mire que lea
Sus zapatos limpiaré.

NIÑA:

Yo en la puerta quiero estar,
Su llegada esperaré,
Y al verlo entonces entrar
Cinco besos le daré.

NIÑO:

Es bueno tener papá,
Como el papá de los dos;
Y el otro día mamá
Me dijo que es don de Dios.

NIÑA:

Una oración elevemos
Dando gracias por papá,
Y que seamos hijos buenos,
Porque eso dicha le da.

LOS DOS.

Te damos gracias, Señor,
Por nuestro amado papá,
Que tu gracia, paz y amor
Le acompañen donde está.

Carta de un Hijo a su Padre Cristiano

Querido papá:

Hoy, en el Día del Padre, te estoy recordando de manera especial. ¿Recuerdas aquella tarde cuando tú, mamá y mis hermanos menores estuvieron en el aeropuerto para despedirme, porque yo me venía a la universidad? Vi que al abrazarme lágrimas gruesas se deslizaban por tus mejillas. Nunca te había visto llorar. Yo hice un esfuerzo tremendo por contener las mías, pero cuando ya estaba sentado en el avión, lloré como un niño pues tu rostro humedecido se quedó grabado en mi alma.

Quiero aprovechar esta oportunidad para decirte que te amo mucho y que estoy profundamente agradecido por todo lo que tú has hecho por mí. Ahora comprendo mejor la gran bendición que es tener un padre como tú. Algunos de mis compañeros de estudio no tienen esa dicha mía.

Muchas de las cosas que me dijiste la mañana anterior a mi salida, sentados los dos en tu oficina, han salido ciertas. Parece como si estuviera en un nuevo mundo. Todo es distinto lejos del hogar. Realmente que mi fe cristiana ha sido puesta a prueba. Ha habido momentos en que he sentido como si ya iba a fracasar. Pero el recuerdo de tus consejos, la influencia de tu buen ejemplo y el temor a Dios que aún me queda me han protegido contra la avalancha de tantas ideas incrédulas y de las diversas tentaciones que se sufren en este ambiente. ¿Hasta cuándo podré resistir estas pruebas? No sé. Pero si tú no cesas de orar por mí y me escribes de vez en cuando tus cartas confortadoras y guiadoras, es posible que yo logre salir avante, no solamente de mis estudios, que es para lo que vine acá, sino también de los conflictos espirituales.

En este día, pues, padre mío, recibe mi amor, mi gratitud, mi admiración. Dios te conserve con salud y te dé fuerzas para el trabajo. Abrázame a mamá y a mis hermanos. Procuraré honrar tu nombre.

Te ama tu hijo,

Eduardo.

DIA DE LA BIBLIA

La Biblia

Es la Biblia el tesoro divino
y la antorcha que alumbra el camino
del viajero sin rumbo y sin fe;
ella es vianda que nutre la vida,
medicina que cura la herida
del herido doquiera que esté.

Ella va por las sendas del mundo
anunciando el amor tan profundo
que Dios siente por ti, pecador;
su mensaje es potente y precioso
porque habla de gloria y de gozo,
de perdón que nos da el Salvador.

Es la Biblia de Dios su Palabra
con la cual en las vidas él labra
la imagen de su Hijo, Jesús;
quien medite en sus letras con calma
sentirá que en el seno de su alma
se derraman raudales de luz.

En sus páginas hay enseñanzas
que son aguas tranquilas y mansas
que refrescan e inyectan vigor;
el sediento al leerlas se sacia
y se acoge a la gran eficacia
de la muerte de Cristo el Señor.

¡Oh cuán bella es la Biblia bendita!
En sus letras con fuerza palpita
la existencia real de Jesús;
él es tema central de su historia,
y nos habla de lucha y victoria
en la escena viril de la cruz.

Este libro será siempre el faro
del que busca en su noche el amparo
que le haga hasta el puerto arribar;
si humildes la Biblia estudiamos
y sus fieles promesas guardamos:
en el cielo podremos morar.

La Biblia: El Libro de Dios

Hay un libro que todos debieran
Con ahínco ponerse a estudiar,
Y si hambre de ideas tuvieran
Que comer como panes quisieran:
En sus hojas podrían hallar.

Este Libro es la Biblia bendita,
La gloriosa Palabra de Dios;
Es la auténtica fuente que cita
La experiencia de luz infinita
De los hombres que oyeron Su voz.

El Espíritu Santo intervino
Revelando de Dios la verdad;
Dio a los hombres el soplo divino,
Y de errores también les previno
Con el sello de su santidad.

En sus páginas hay la respuesta
A los muchos problemas del ser;
Es el Libro que fácil se presta
Para ser la razón que contesta
Al que tiene la sed de saber.

Cual la Biblia no existe otro libro
Con el sello de su inspiración;
Al leerla yo siento que vibro
Con el gozo del cielo, y que vivo
Aprendiendo de Dios la lección.

Los imperios que el mundo ha tenido
Son ahora recuerdos de ayer;
Todo en sombras al fin se ha sumido,
Pero el Libro de Dios ha seguido
En su marcha de luz sin caer.

Oigan todos el grito sonoro
De la Biblia, Trompeta de Dios;
Sus palabras resuenen en coro
Y ahuyenten la duda y el lloro
Del que humilde obedece Su voz.

La Biblia Es Util para Todos

(Dramatización en un solo acto)

EXPLICACION. —Aparece en el escenario una congregación evangélica. El pastor está frente al púlpito. Al descorrerse el telón, todos están con la cabeza inclinada, orando. Se oyen las últimas palabras del pastor y, al terminar, todos dicen, "Amén". Luego el pastor predica un brevísimo sermón, y después dialoga con la congregación. Entonces entra "La Biblia", representada en una señorita con vestido largo y una cinta de cartulina sobre su pecho que dice: BIBLIA; lleva, además, una Biblia abierta en sus manos. Se coloca en un sitio estratégico y responde a las preguntas que le hacen.

El propósito de esta dramatización es señalar la importancia práctica de la Biblia para todos los individuos.

PASTOR.— Y también damos gracias por la Biblia, tu Libro maravilloso. Queremos que ella, en verdad, sea "lámpara a nuestros pies y lumbrera en nuestro camino." Te lo pedimos en el nombre de Jesús, Amén.

TODOS.— Amén.

PASTOR.— Siendo hoy el domingo dedicado a la Biblia, yo deseo hablarles un poco acerca de ella. Desde cualquier punto de vista la Biblia es un libro maravilloso, estupendo, interesante y práctico. Es el libro más antiguo que existe, el que se ha traducido a mayor número de idiomas y dialectos, el que ha tenido una divulgación más grande, el más perseguido y el más amado de todos, y el que ha ejercido la mayor influencia moral, cultural y espiritual en el mundo. Es una biblioteca en pequeño, pues contiene sesenta y seis libros, los cuales fueron escritos en período de 1.400 años como por cuarenta distintos autores. Fue escrita en hebreo el Antiguo Testamento y en griego el Nuevo Testamento. Sus libros se escribieron en distintos países, en distintos tiempos y bajo múltiples circunstancias. Ella trata de historia, de geografía, de astronomía, de religión, de educación y, prácticamente, de todas las actividades humanas. Pero, lo más importante de todo es que la Biblia es la Palabra de Dios, es decir, la voluntad y el mensaje de Dios para los hombres, reducido a forma escrita. Ningún otro libro es tan interesante como la Biblia. En ella los seres humanos de todas las edades encuentran lo que necesitan para su vida. ¿Lo creen ustedes así?

UNA SEÑORITA.— Sí, hermano pastor. Pero usted sabe que en estos días hay tanto que leer, que en verdad tiempo es lo que falta. Y de una manera especial nosotros los jóvenes estamos en el peligro de descuidar la lectura de la Biblia por leer mucha literatura barata y hasta nociva que cae en nuestras manos.

PASTOR.— Gracias, hermana, por sus palabras. Quizá fuera bueno que invitáramos a venir a la Biblia misma; nadie mejor que ella podría decirnos si ella es práctica y si tiene un mensaje de actualidad para cada época de la vida del ser humano. ¿Qué les parece?

TODOS.— *(Al unísono.)* Excelente idea. ¡Que venga!

LA BIBLIA. —*(En eso entra la Biblia.)* Como yo siempre estoy muy cerca de quienes me buscan, oí vuestro llamado y, siendo que soy mensajera de Dios al hombre, vine inmediatamente para contestar vuestras preguntas.

PASTOR.— Gracias, Biblia, por haber venido. Siendo que tú eres mi compañera inseparable, mi fuente de inspiración y mi espada de combate, tu presencia no me es extraña. Queremos que tú nos digas si a pesar de que eres un libro tan antiguo todavía tienes importancia para el hombre de hoy. De manera que voy a dar la oportunidad para que los grupos por edades vayan preguntando por medio de su representante. Empezaremos por los niños. (Dirigiéndose a la congregación): Entonces ahora tienen ustedes la oportunidad de hacer sus preguntas a la Biblia.

NIÑO.— *(Como de doce años).* A nosotros nos gusta mucho la lectura. Leemos las tiras cómicas de los diarios y también revistas para muchachos. La Biblia la hallamos un poco fastidiosa.

LA BIBLIA.— Admito que tú no puedas entender todo lo que está escrito en mí. Pero hay mucho que te puede gustar. Realmente, yo contengo el relato de las mejores historias que hay. Y no son ficciones sino realidades. Algunas historias que estoy segura te encantaría leer son, por ejemplo, estas: el nacimiento de Moisés, la vida de José y sus hermanos, primero en Canaán y después en Egipto, el nacimiento y el llamamiento de Samuel, las proezas de Sansón, las experiencias del rey David, y, sobre todo, la vida interesantísima de Jesús. El fue un muchacho como tú y mucho aprenderías de él. Cuando crezcas, otras cosas de mis páginas te interesarán.

JOVEN.— A mí me gusta la lectura de aventuras. Pero muchos libros y revistas que vienen a mis manos me perturban la mente. Me hacen perder el interés en las cosas espirituales. Casi todo trata del sexo, hasta el punto que siento fastidio. ¿Tienes tú un mensaje para mí?

LA BIBLIA.— El joven es uno de mis objetos predilectos. Puedo asegurar que toda yo fui escrita pensando en ti, porque la patria y el mundo descansan sobre tus hombros. Tú eres la esperanza de una mañana feliz, o el presagio de una noche tenebrosa. Debes saber escoger la lectura. Yo tengo muchísimos consejos prácticos y sanos para tu vida. Si lees los Proverbios te gustarán muchísimo. También algunos de mis Salmos te encantarán. Tengo historias de aventura y dramatismo intenso. Lee el libro de Daniel y te convencerás. Los viajes del apóstol Pablo son interesantísimos. Y los milagros y las parábolas de Jesús te ayudarán mucho. Las Cartas a Timoteo fueron escritas a un joven. ¿Por qué no las lees?

SEÑORITA.— Mi cuarto lo tengo lleno de novelas, pero ya comienzo a cansarme de ellas. Veo que exaltan el crimen y defienden la sexualidad. Me doy cuenta que su lectura me va haciendo una joven vana y con cierto desprecio para la vida. ¿Podrás tú ayudarme?

LA BIBLIA.— Desde luego. Yo sé que a ti te gusta el amor. Pues en mis páginas encontrarás historias bellísimas de amor. Por ejemplo: el casamiento de Isaac y Rebeca; los amores de Jacob y Raquel; el romance de Booz y Ruth, la moabita. La historia de la reina Ester es muy preciosa también. Y te recomiendo la lectura de los Evangelios. Son el relato de cosas vivas, de acontecimientos humanos. Lee Romanos 12 y 1 Corintios 13. Hazte amiga mía y ya verás cómo yo te ayudaré. Te sentirás feliz de ser una señorita cristiana.

UN HOMBRE PROFESOR DE UNIVERSIDAD.— Cuando yo era niño mi madre me hablaba mucho de ti. Pero ahora que enseño en una universidad, confieso que he perdido el interés en la lectura de tus páginas. En ocasiones he pensado que tu mensaje era para otros tiempos y no para los que vivimos ahora, cuando la ciencia ha avanzado tantísimo. Me gustaría, pues, saber si tú sigues siendo un libro contemporáneo.

LA BIBLIA.— No me extraña tu actitud, pues hay muchísimos individuos que piensan que la verdadera ciencia y yo estamos en enemistad. Pero no es así. Siendo yo una obra del Espíritu Santo no puedo, realmente, enseñar el error. Necesitas venir a mí sin ningún prejuicio mental. En actitud humilde podrás descubrir muchas de mis enseñanzas valiosas. Aunque no soy un texto de ciencia, sin embargo, no afirmo nada que no tenga base en la realidad tanto histórica como natural. Y me anticipé a muchos descubrimientos e inventos. Y mi lenguaje no es de duda. Te convido a que leas mi relato sobre la creación en Génesis capítulo 1. Es breve, admirable y exacto. En el libro de Job, hacia el final, hay una serie de preguntas que te harán pensar. La sola lectura del libro de Isaías te agradará por su estilo, su claridad y su profundidad. Y el Apocalipsis, aunque de principio te asuste, es una maravillosa exposición de los acontecimientos del furuto, algunos de los cuales ya se están verificando. Para tu vida moral te recomiendo que leas mis epístolas. No sientas, pues, vergüenza de mí, porque yo soy el libro que más ha influido en toda la literatura.

UNA MUJER ANCIANA.— Ya que tengo la oportunidad quiero expresarte, Biblia, que tú has sido mi mejor amiga. Y no sé cómo pudiera haber levantado a mi familia sin la inspiración y las enseñanzas que me diste. Yo sigo amándote y me deleito al leer algunas de tus páginas todas las mañanas. Tú me describes el glorioso país adonde espero ir cuando parta de este mundo. Hay muchas cosas que no comprendo de ti, pero tú misma me dices que cuando esté en la presencia de Dios lo entenderé todo. Esta esperanza me alienta. Sigue pues tu marcha gloriosa. Yo seguiré viniendo a los cultos de mi iglesia, porque nuestro pastor sabe exponer tu mensaje. Yo creo que en la eternidad tú y yo seguiremos siendo amigas.

LA BIBLIA.— Agradezco la invitación que me hicisteis. Ahora dejadme ir, pues tengo mucho camino que recorrer. El mundo necesita de mi luz, y voy a dársela. *(Se va. Mientras tanto, todos de pie, cantan el himno "Santa Biblia para Mí", y el telón empieza a bajar.)*

Monólogo de la Biblia

Como veis, yo soy la Biblia. Todos me conocen y millones de individuos me han tenido alguna vez en sus manos. Yo existo desde muy antiguo. El mensaje de mis páginas estaba en el corazón de Dios.

Ahora quiero expresar mi gratitud primeramente al Espíritu Santo porque él es mi Autor divino. Luego a los hombres que escribieron mis palabras. También a esos desconocidos señores que con paciencia manuscribieron copias de mis escritos. Los que se encargaron de llevarme por todas partes, a veces con suma dificultad y enmedio de múltiples peligros, merecen mi gratitud. Los que me imprimen, los que me leen y me estudian y los que exponen mi mensaje a la gente también. Agradezco a las Sociedades Bíblicas por la magnífica labor que han hecho durante muchos años, haciéndome cada vez más conocida en el mundo. Igualmente a ese ejército muchas veces ignorado de traductores, que me ha dado ciudadanía universal. Yo soy el Libro de Dios y mi ministerio es llevar luz a las mentes y señalarles a los hombres el camino que conduce al cielo.

Sin embargo, quiero expresar cierta tristeza que siento, pues muchos cristianos me tienen como adorno en sus bibliotecas, o me dejan olvidada en la mesa de la sala sin preocuparse por mí. Yo les veo cómo devoran muchos otros libros y revistas y diarios, pero de mí no se acuerdan. A veces, cuando van a la iglesia, me invitan pero ni aun allí se atreven a abrir mis hojas. No me introducen ante sus amigos. En sus oficinas de trabajo y en sus círculos de entretenimiento no saben que yo vivo en sus casas. Más valiera que no me conocieran. Estoy triste, igualmente, porque algunos predicadores se están desatendiendo de mí. Ya no me usan como antes. Hasta a algunos he llegado a parecerles que estoy fuera de moda. Todo esto no está bien. Yo espero que ustedes los que me escuchan sientan amor por mí, y me hagan su compañera inseparable. Les prometo bendecirles, alimentarles y orientarles en la vida. Yo soy la Biblia. ¿Me conocen?

El Libro

Los libros humanos son fragancia escapada
de las flores que manos supieron frotar;
mas encima de ellos, solemne y confiada,
enhiesta la Biblia se la puede mirar.

Airosa en la tormenta, sin jamás caer,
las críticas no pueden su voz acallar;
podemos en sus hojas la verdad leer,
su poder y vida, ¿quién los podrá quitar?

Viajero que en tu marcha vas para otro mundo,
deténte por un rato a la sombra bendita
de la palabra eterna, que es árbol fecundo,
que ofrece a los hambrientos comida exquisita.

En este Libro santo sé que tú hallarás
de Cristo la promesa de reposo y paz.

DIA DEL PASTOR Y DIA DEL SEMINARIO

A Nuestro Pastor

En esta hermosa ocasión
De alegría y de amistad,
Esta fiel congregación
Con real sinceridad:
Le expresa a nuestro pastor
Su cariño y gratitud,
Y desea que el Señor
Le dé perenne salud.

Es muy justo que la iglesia
Le diga al siervo de Dios
Lo mucho que ella aprecia
Oir su férvida voz:
En los hermosos sermones,
En las fieles enseñanzas,
Que levantan corazones
Y los llenan de esperanzas.

Hoy también reconocemos
El trabajo del hermano,
Visitando a los enfermos
Aun desde muy temprano;
Animando al que está triste,
Exhortando al descarriado,
Y buscando al que no asiste,
Que del templo se ha ausentado.

Hemos podido admirar
Del pastor su devoción,
Siempre listo a saludar
Y a sentir compasión.
Dedicado al estudio,
Dispuesto siempre a servir,
Y haciendo fuerte repudio
De todo lo que es mentir.

Sabemos que es delicada
La obra de un pastor;
Necesita de la Espada
Poderosa del Señor;

De mucha gracia y paciencia,
Revestirse de humildad,
Tener limpia la conciencia
Y ser fiel a la verdad.

Con aplomo le decimos
Al pastor que Dios nos dio:
Que aprecio le sentimos
Desde el día en que llegó.
Hemos luchado con él
En la obra del Señor,
Su trabajo es bueno y fiel,
Le damos hoy nuestro amor.

Que Dios le bendiga, hermano,
Con sus hijos y su esposa,
Lo sostenga de la mano
Por la senda fatigosa.
En el Día del Pastor,
Dedicado a su persona:
La iglesia llena de amor
A Dios sus cantos entona.

El Pastor

Hay un hombre sin segundo,
Que con toda abnegación
Cumple de Dios la misión
De llevar por este mundo,
Las nuevas de amor profundo
De que Cristo, el Redentor,
Salva a todo pecador.
¿Quién es ese pregonero?
¿Ese de Dios mensajero?
Ese hombre es el pastor.

El pastor es fiel vocero
De un mensaje celestial;
Es un claro manantial
De bien y de amor sincero.
Cual un brillante lucero
Irradia luz por doquier,
Y procura convencer

Con la palabra divina
A todo aquel que camina
Sin un Dios en quien creer.

El pastor es claro espejo
En que se mira Jesús,
Y de su diáfana luz
Es un vívido reflejo.
Toma siempre su consejo,
No desatiendas su voz;
Eco nítido es de Dios
En este mundo perdido,
Y el que siempre ha combatido
Al pecado vil y atroz.

El pastor de corazón
En el peligro es valiente;
Es cortés con toda gente,
Y constante en la oración.
Siente una inmensa pasión
Por traer almas a Cristo,
Y siempre se encuentra listo
Para exhortar y servir:
Otro de este vivir
En la tierra no se ha visto.

Ser pastor es ser llamado
Con divina vocación;
Es recibir santa unción
Del Espíritu sagrado.
Es vivir muy consagrado
A las cosas del Señor;
Es practicar el amor,
La paciencia, la humildad;
Es predicar la verdad
Con entusiasmo y valor.

Quien piense que el pastorado
Es muy fácil de llevar:
Ese no sabe observar
Lo que requiere cuidado;
Pues sólo el que es llamado
Para servir de pastor,
Que todos sabe mejor
Lo que es trabajo y desvelo,

Lo que es sufrir desconsuelo,
Lo que es tristeza y dolor.

Gloria a Dios por los pastores
Que trabajan con tesón,
Y con noble corazón
Mitigan muchos dolores.
Ellos están cual las flores
Puestos con santo primor,
Y despiden al redor
Del evangelio la luz,
El mensaje de la cruz
Y el perfume del Señor.

¿Vive Jesús Aquí?

(La influencia de una visita pastoral.
Dramatización en dos actos.)

PRIMER ACTO

(Una casa modesta de un matrimonio miembros de la iglesia. La señora está haciendo algunos oficios domésticos. El esposo está fuera trabajando. A eso de las once de la mañana llega el pastor de visita.)

EL PASTOR. Tan, tan *(llamando en la puerta)*.

DOÑA CARMEN.— (Hablando en voz alta desde adentro.) ¡Ya va! ¡Un momento! Como no sea el lechero que me viene a cobrar. Todavía no tengo la plata lista. O a lo mejor es el cartero. ¿Quién será? (Dice esto mientras termina de peinarse. Sale. Abre la puerta.) ¡Cómo! si es el hermano pastor. Bienvenido, don Lorenzo. ¡Cuánto me agrada su visita! ¡Siéntese! *(Después de saludarla el pastor toma asiento.)*

EL PASTOR. Mucho gusto me da verla, hermana Carmen. ¿Cómo está don Miguel?

DOÑA CARMEN.— Está bien, hermano pastor, siempre se queja un poco de la pierna derecha. Ya está muy mejorado, pero cuando está mucho tiempo de pie se rinde fácilmente. Si asistiera más regularmente a los cultos.

EL PASTOR.— ¡En verdad que estuvo hermoso el programa de la Unión Femenil! Y usted desempeñó muy bien su parte. La felicito.

DOÑA CARMEN.— No se crea. Si viera que a mi edad, una casi no sirve para nada.

EL PASTOR.— No diga eso, hermana. Usted colabora muy bien en la iglesia. Sólo que a don Miguel necesitamos despertarlo un poco. ¿No le parece?

DOÑA CARMEN.— Es verdad, pastor. Pues yo no dejo de tener mis luchas con él, porque no lo veo tan consagrado como antes. Pero, el Señor se apiadará de nosotros y nos ayudará.

EL PASTOR.— Hermana Carmen, tengo una pregunta que hacerle; es muy importante.

DOÑA CARMEN.— Diga, hermano. Soy toda oídos.

EL PASTOR.— ¿Vive Jesús aquí?

DOÑA CARMEN.— Pastor, esta pregunta sí que es muy seria. ¿Qué le puedo contestar?

EL PASTOR.— No me conteste. Sólo quiero que usted y su esposo reflexionen sobre esto. Y ya me voy, pues tengo que visitar en el hospital a la hermana Clarisa a quien operaron ayer. Espero verla el domingo en la iglesia. Y ... tempranito, ¿verdad?

DOÑA CARMEN.— Como no, hermano. Allí nos veremos. Y salúdeme, por favor a la hermana Clarisa. Tal vez el sábado vayamos a visitarla.

EL PASTOR. —Adiós, hermana, y que nuestro Dios la bendiga a usted y a su marido. *(Se va. Doña Carmen toma la Biblia, se sienta, la abre y lee en silencio, en actitud reflexiva. Se baja el telón.)*

SEGUNDO ACTO

(La misma sala. Ambos esposos están sentados. Al levantarse el telón se entabla el diálogo.)

DOÑA CARMEN.— ¿Y cómo te fue el día de hoy, Miguel?

DON MIGUEL.— Pues vieras que ya me siento mejor. Ese patrón grosero me tuvo de pie todo el día trabajando, pero como que ya me voy acostumbrando, pues la pierna no me duele tanto como antes. Bueno, es que tú has orado mucho por mí. ¿No es cierto?

DOÑA CARMEN.— Por supuesto. Debemos tener mucha fe en Dios.

DON MIGUEL.— ¿Y a ti cómo te fue? ¿Vino alguien a visitarnos?

DOÑA CARMEN.— ¡Ah, sí! Ya hasta se me estaba olvidando.

DON MIGUEL.— ¿Quién vino? A ver, dime.

DOÑA CARMEN.— Pues vino el hermano pastor. Y vieras qué bien se veía. Traía puesto el sombrero que le regaló la Unión Varonil.

DON MIGUEL. —¡Eso está bueno! En ese sombrero está mi dólar que di. Pero ¿qué dijo? Eso es lo que importa.

DOÑA CARMEN.— *(En tono grave.)* Pues no dijo mucho, pero sí me hizo una pregunta que me tiene muy pensativa.

DON MIGUEL.— ¿Una pregunta? A ver, dímela. ¿Qué será? ¡Cómo que no te haya preguntado por qué no fui el domingo pasado a la escuela dominical, y tú le hayas dicho que se me pegaron las cobijas!

DOÑA CARMEN.— Nada de eso. El me preguntó: "¿Vive Jesús aquí?"

DON MIGUEL.— "¿V-i-v-e J-e-s-ú-s a-q-u-í?" Bueno, ¿y qué le dijiste, mujer?

DOÑA CARMEN.— Pues qué le iba a decir. La pregunta me tomó de sorpresa.

DON MIGUEL.— ¡Vaya, no seas tonta! Pues ¿cómo no le dijiste que siempre vamos a la iglesia?

DOÑA CARMEN.— Es que él no me preguntó eso, sino ¿Vive Jesús aquí?

DON MIGEL.— ¿Y entonces por qué no le dijiste que tú cooperas en la Unión Femenil y que yo voy a la Unión Varonil a lo menos cuando tienen alguna reunión especial?

DOÑA CARMEN— Pero es que él no me preguntó sobre eso, sino, "¿Vive Jesús aquí?"

DON MIGUEL.— ¡Qué cosas! Le hubieras dicho que somos muy cumplidos en dar nuestros diezmos a la iglesia.

DOÑA CARMEN.— Sí, Miguel, eso es cierto, pero el pastor no me preguntó nada sobre los diezmos. El dijo: "¿Vive Jesús aquí?"

DON MIGUEL.— Bueno, creo que tienes razón. Pero, ¿qué le vas a decir si vuelve y te hace la misma pregunta?

DOÑA CARMEN.— Eso es lo que debemos resolver tú y yo. Y casualmente, después de que él se fue, yo abrí la Biblia y recuerdo que leí estas palabras en Apocalipsis 3:20, "He aquí, yo estoy a la puerta y llamo; si alguno oye mi voz y abre la puerta, entraré a él, y cenaré con él, y él conmigo." Yo creo que debemos abrirle la puerta de nuestro corazón y de nuestro hogar al Señor para que él entre a morar en ellos. Recuerda que tú y yo le hemos prometido servirle con amor.

DON MIGUEL.— Sabes, Carmen, tus palabras me llegan muy hondo. Yo quiero que la próxima vez que venga el pastor a la casa, si hace la misma pregunta, que sí le podamos contestar muy bien.

DOÑA CARMEN.— Oremos a Dios, Miguel, y reflexionemos seriamente sobre esto. El nos ayudará.

DON MIGUEL.— Sí, oremos. (*Ambos inclinan la cabeza y se quedan orando en silencio. Luego se oyen las voces de un coro escondido, que canta la primera estrofa del himno: "Jesús, yo he prometido servirte con amor." Al terminar la estrofa, se cierra el telón y se escuchan los últimos acordes del himno en el piano.*)

Himno del Seminario

La voz del Señor nos invita a salir,
Por el ancho mundo que está en perdición:
Debemos, por tanto, la orden cumplir
Y dar el mensaje de la salvación.

Coro:

Por eso estamos con fe y amor
En el Seminario, bendito Señor.

Alegre es vivir estudiando de Dios
Su santa Palabra, que es luz y verdad;
Sentir su presencia y luego ir en pos
De aquellos que lloran su negra maldad.

Es muy necesario las nuevas decir
Del santo evangelio de Cristo Jesús;
La sana doctrina también difundir
A todo el que quiera vivir en la luz.

Humildes pedimos tu gracia, Señor,
Tu Espíritu Santo nos dé su poder;
Queremos ser fieles en nuestra labor
Y el premio en la gloria de ti obtener.

(Se puede cantar con la música del himno "Whiter Than Snow", No. 9 de The Broadman Hymnal.)

El Seminarista

En el día señalado
Después de meses de espera,
Un joven emocionado
Deja su hogar estimado
Y emprende santa carrera.

La familia queda triste:
Un miembro de ella se va;
Y el vacío que hoy existe
Sólo el amor que persiste
Llenarlo de luz podrá.

Se alejó el Seminarista,
Al Seminario se fue:
Quiere ser pastor bautista
O servir de evangelista
En las lides de la fe.

¿Qué lo mueve a irse lejos?
¿Qué lo impulsa a estudiar?
¿Quién le da sabios consejos
Que le sirven de reflejos
Celestiales para actuar?

¿Por qué en vez de ser doctor,
Ingeniero o abogado,
Quiere ser predicador
Y obrero del Señor
En este mundo malvado?

Es que Dios lo ha escogido
Y le ha dado vocación,
Y en lo íntimo ha sentido
El deseo definido
De anunciar la salvación.

Es que él mira por doquier
Los cuadros tristes del mal,
El infierno y su poder
Que se empeñan por vencer
A la criatura mortal.

Por eso él quiere servir,
Por eso él quiere ayudar;
Y está dispuesto a sufrir
Y a todas partes salir
Para las almas salvar.

La pasión de Jesucristo,
Su precioso Salvador,
De entusiasmo le ha provisto
Y ahora se encuentra listo
Para estudiar con ardor.

Y una vez ya preparado,
Al salir del Seminario,
Se hallará muy ocupado
Como obrero consagrado
Predicando en el Santuario.

Démosle, pues, nuestro amor
Y queramos ayudar
Al joven que en santo ardor,
Por la causa del Señor
Se dedica a estudiar.

Y a ti, Seminarista,
Que tu vida diste a Dios,
El Espíritu te asista
Para que fiel en la pista
Prosigas de Cristo en pos.

Proclama con fiel denuedo
El evangelio de luz;
No digas nunca: "No puedo",
Ni al diablo le tengas miedo
Si estás cerca de Jesús.

Persevera en el ideal
De aprovechar bien tu don;
Camina lejos del mal,
Y a tu Padre celestial
Dale siempre el corazón.

"El Llamamiento al Ministerio"

Personajes: Raquel, la madre; Pablo, el padre; las tres
  hermanas: Carolina, Rebeca y Sara; un hermano,
  Carlos; Bernabé, el joven llamado al ministerio; don
  Santiago, el pastor.

PRIMER ACTO

*(Una sala regularmente amueblada. Hay animación.
Carlos busca algún libro en la biblioteca. Carolina
cose un vestido. Rebeca está tejiendo. La madre lee
un periódico. Sara está detrás de ella, leyendo también. En el reloj son las 4:30 de la tarde.)*

LA MADRE. —Ya no debe de tardar Bernabé. El dijo
que vendría a las 4:30.

CAROLINA. —Sin duda que ya viene de camino, porque él siempre cumple con sus compromisos. Tal vez
había mucha gente en el Ministerio de Educación.

REBECA.— A mí me parece que debemos hacerle una fiesta rumbosa a Bernabé, invitar a todos nuestros amigos y tener un baile muy animado.

CARLOS.— Eso sí que no podemos hacer, Rebeca, pues, en primer lugar todos somos miembros de la iglesia, aunque tu no, y en segundo lugar, papá y mamá ya invitaron al pastor para que celebrara en nuestra casa un culto de accion de gracias.

SARA.— Voy a abrir la puerta. Debe de ser Bernabé.

(Entra Bernabé, muy alegre. Todos le preguntan.)

TODOS. —¿Qué tal te fue, Bernabé?

BERNABE.— Me fue muy bien. El Ministro firmó mi título. Estoy feliz.

SARA. —¿De modo que ya eres todo un bachiller en ciencias y letras?

BERNABE.— Sí, gracias a Dios, y a los esfuerzos de mis queridos padres.

LA MADRE.— ¡Qué contento se pondrá tu papá! Pronto deberá estar aquí. Bien, Bernabé, ya que estamos todos reunidos, será bueno que conversemos acerca de tus planes para el futuro. ¿Qué has pensado?

BERNABE.— Seré franco. Yo deseo ir al Seminario y prepararme para el ministerio cristiano. Siento que esta es mi vocación, el Señor me llama y yo debo obedecer.

REBECA.— Eso es lo que faltaba. Ahora que eres bachiller vas a malgastar tu futuro, metiéndote de pastor. ¿Para eso habrías de estudiar tanto?

CARLOS.— Tú hablas carnalmente, Rebeca. Dios es digno de lo mejor.

SARA.— ¿Y por qué no te vas tú también al Seminario?

CARLOS.— Porque mi vocación no es esa. A mí me gusta ser un buen cristiano y cooperar en todo lo que puedo en la iglesia, pero sólo el que es realmente llamado de Dios al ministerio debe entrar al Seminario.

CAROLINA.— Pues yo no estoy en contra del propósito de servir al Señor, pero yo no veo por qué Bernabé haya de dedicarse a eso, pues él podría triunfar en otra carrera y ganar mucho dinero.

REBECA.— *(Dirigiéndose a Bernabé.)* Bien podrías conseguirte una beca e ir a estudiar ingeniería a los Estados Unidos. Después de todo, tú fuiste el mejor alumno en las matemáticas.

SARA.— Además, eso de ser pastor es tener que lidiar con toda clase de gentes. Apenas ganan para medio vivir y no tienen la libertad que tienen otros.

CARLOS.— Y tú, ¿qué dices, mamá, a todo esto?

MADRE.— Me gustaría oir a Bernabé, a ver si él tiene algo más que decir. Yo después hablaré con Pablo, mi esposo.

BERNABE.— Les he escuchado con interés y atención, y por lo que han dicho mis hermanas, veo que ustedes no tienen ninguna visión espiritual. Uno debe ser según los ideales que persigue. No debemos pensar solamente en el plano material y lucrativo de las cosas. Es verdad que yo podría muy bien labrarme un porvenir provechoso, pero yo no sería feliz si me dedicara a lo que no es mi vocación. Además, la mies de Cristo es mucha y los obreros pocos.

CARLOS.— Dice muy bien mi hermano, y anoche en el ensayo del coro, el pastor me declaró que Bernabé era una promesa para la obra, y que él ayudaría en todo a fin de que mi hermano entre a estudiar en el Seminario.

CAROLINA.— (Dirigiéndose a Bernabé). Pero en tal caso, puedes perder a tu novia, pues la ilusión de ella es que tú llegaras a ser un doctor.

CARLOS.— Eso nada importaría, pues también en el Seminario hay buenas señoritas que se están preparando para lo mismo.

LA MADRE.— Y muy bonitas, por cierto. *(Todos ríen.)*

SARA.— Aquí viene papá, ¡qué bueno! El solucionará esta situación.

(Entra el papá en compañía del pastor.)

ELLOS.— Buenas tardes.

EL PASTOR.— ¿Cómo están, hermanos?

LA MADRE.— Todos bien, gracias.

BERNABE.— Siéntese, hermano pastor.

PASTOR.— Gracias. Venía del ensayo del Programa de Navidad cuando me encontré con el hermano Pablo y me invitó a que viniera, para que resolviéramos el caso de Bernabé.

CAROLINA.— *(Dirigiéndose a Sara.)* ¡Ay, qué alegre, vamos a tener Navidad ! Yo quisiera tomar parte en el programa.

PASTOR.— Bueno, pero no hemos felicitado a Bernabé. ¿Ya tienes tu título?

BERNABE.— Sí, hermano pastor, aquí está.

(Se lo muestra y el pastor lo lee. El padre se acerca también a leerlo. Después se adelanta hacia Bernabé y, abrazándolo, dice).

EL PASTOR.— Te felicito con un abrazo. Que Dios te bendiga.

EL PADRE.— Y recibe uno más apretado de tu padre, hijo mío.

BERNABE.— Gracias, gracias, me siento muy feliz.

EL PADRE.— Bien, ahora vamos al grano. Ya que tenemos al pastor con nosotros, nuestro mejor consejero, discutamos el asunto.

LA MADRE.— Pues parece que Bernabé está decidido a irse al Seminario.

EL PASTOR.— ¡Qué bueno! Es lo que yo esperaba. Estoy seguro que mi iglesia le dará todo el respaldo y la ayuda posibles.

EL PADRE.— Pues yo no se lo impido. Como padre y como cristiano, creo que mi deber es dejar en libertad a mi hijo a que siga la carrera de su vocación. Yo le ayudaré económicamente.

REBECA.— Pero, don Santiago, ¿para servir al Señor es necesario que Bernabé se haga un pastor? Con ser un buen miembro de la iglesia creo que bastaría.

EL PASTOR.— Es cierto que a Dios se le puede servir en muchas maneras y así debe hacerse; pero cuando él llama a un joven para ser predicador del evangelio, éste no debe rehusar. Hay peligro en ser rebelde, como Jonás, a la voz del Señor. Además, ¡qué honroso sería para toda la familia tener a uno de sus miembros como fiel siervo de Dios! Bueno, ya se me hace tarde y a mi esposa le gusta que esté a la hora exacta de la comida. Nos veremos en la noche en la iglesia. Hasta luego.

TODOS.— Hasta luego, don Santiago.

LA MADRE. —Muchas gracias por la visita. Siempre lo esperamos.

EL PADRE.— Posiblemente yo no llegaré al culto esta noche, pues vine muy cansado del trabajo, y además, voy a ir preparando el informe de la tesorería de la iglesia para la sesión de negocios que tendremos el próximo jueves.

(Después que despiden al pastor, todos, manteniendo siempre el ambiente hogareño, se disponen a ir a la cena.)

LA MADRE.— Bueno, muchachos, ya es hora de cenar; vamos pronto, para que podamos llegar al culto temprano.

(Entonces salen todos hacia el comedor, menos Bernabé, quien se queda sentado. Sara, que es la última en salir, le dice):

SARA.— Y tú, Bernabé, ¿por qué no te apuras?

BERNABE.— Vayan ustedes; de por sí unos amigos me obsequiaron con unos frescos y unos tosteles muy ricos en la Soda Central. Ademas, yo quiero pensar un poco más en la decisión que he tomado.

SEGUNDO ACTO

(Se queda solo Bernabé. Toma la Biblia y lee algo; luego se queda como meditando. De pronto se duerme y aparenta que sueña. Ve visiones y oye voces y música):

LUCRECIA.— *(Pasando por detrás de él y con movimientos gráciles):* Acuérdate que yo te amo mucho, pero no quiero que seas pastor; estudia otra cosa que produzca más y en que se sufra menos; no te olvides que me puedes perder. *(Se va.)*

NARCISO.— Tú eres muy inteligente para que vayas a perder tu tiempo estudiando cosas de la Biblia; eso no deja nada. Una bolsa de dinero como ésta será tuya si abandonas tu propósito.

REBECA.— ¿Pero, don Santiago, para servir al Señor es necesario que Bernabé se haga un pastor? Con ser un buen miembro de la Iglesia creo que bastaría.

(Entonces Bernabé oye voces y cantos que vienen desde adentro):

LA VOZ DE ALGUNO.— "Venid en pos de mí, y os haré pescadores de hombres." "Porque necesidad me es impuesta; y ay de mí si no anunciare el evangelio." "Si alguno que pone la mano al arado mira atrás no es apto para el reino de Dios."

(Se escuchan dos estrofas de un himno):

CORO ESCONDIDO.— "Del Señor oíd la voz llamando".

(Después de escuchar todo esto, simulando un sueño, Bernabé se despierta, se pone de pie y dice):

BERNABE.— Oh Señor, te doy gracias porque me has dado la victoria; es muy grande la lucha interior que he tenido, pero si tú me has llamado a tu santo ministerio, aquí estoy, no puedo negarme. Yo sé que tendré que perder algunas cosas, pero no importa; tú eres digno de que se deje todo para servirte. Ayúdame, para que me dedique de lleno al estudio y para que te sea fiel en todo momento. *(Se sienta nuevamente y sigue leyendo la Biblia.)*

LA MADRE Y SUS HIJOS.— *(Saliendo por la sala hacia la calle y con sus himnarios.)*

LA MADRE.— Ya nos vamos al culto, Bernabé; ahí te dejé la cena por si quieres comer. Hasta luego, mi hijito.

BERNABE.— Hasta luego, mamá; que les vaya bien y oren por mí. Ya le dije al pastor que no podría asistir esta noche.

(Bernabé se queda nuevamente solo, pero a los pocos momentos entra su papá a la sala y conversa con él):

EL PADRE.— ¿Qué has pensado al fin, hijo?

BERNABE.— Yo creo que no debo desobedecer a la voz del Señor; él me llama a su ministerio y estoy decidido a ir al Seminario a prepararme. No tengo duda que este es el camino que me conviene tomar, pues así lo siento en mi corazón; y además, tanto el pastor como muchos hermanos de la iglesia me dicen que yo tengo vocación ministerial.

EL PADRE.— Cuánto me alegra tu decisión, hijo mío. Yo sé que vas por muy buen camino. Cuando yo fui joven, sentí los mismos impulsos divinos que tú sientes ahora, pero no los atendí porque había otras cosas que yo amaba que me impidieron consagrarme al ministerio cristiano. Ahora me pesa, pero ya es tarde. Creo que fue la más grande equivocación que yo he cometido en mi vida.

Entonces, si es que te vas, sólo te falta una semana. Yo creo que hay tiempo suficiente para que te alistemos. Ven, vamos a mi cuarto, para darte un dinero para que mañana te compres alguna ropa y zapatos. *(Salen. Se cierra el telón.)*

TERCER ACTO

(La misma sala. Aparece toda la familia. Hay valijas listas. Bernabé está arreglado para irse al Seminario. En el ambiente hay emoción y tristeza.)

LA MADRE.— Ten mucho cuidado con tu ropa, hijito. Procura siempre andar bien aseadito.

CAROLINA.— Cuando tengas medias rotas me las mandas para zurcírtelas.

REBECA.— No te olvides de orar por mí; tu consagración me está animando a pensar seriamente en que debo rendirme al Señor.

BERNABE.— Ah, me faltaba lo principal, la Biblia. Favor de pasármela, Carlos, está en la biblioteca. *(Carlos se la pasa y Bernabé le da las gracias. En ese momento entra el pastor.)*

DON SANTIAGO.— Ya está el carro allí; no nos demoremos, porque el tren no espera a nadie, y mañana es la apertura del Seminario.

(Entonces todos se despiden de Bernabé abrazándolo. Salen Bernabé, su padre y el pastor. Los demás quedan viéndolo irse y en actitud triste. Se cierra el telón, e inmediatamente detrás del mismo un coro canta el himno: "Es el tiempo de la siega y tú sin vacilar ...").

DEDICACION DE TEMPLO

Dedicación del Templo

Gloria demos todos al Dios omnipotente
Por sus bendiciones que abundantes son;
Su amor es inmenso, sublime y envolvente
Y con regocijo le adora el corazón.

Hoy venimos todos con gozo y reverencia
Ante el trono excelso de nuestro Salvador:
Y así dedicamos en su real presencia
Este hermoso templo, que es fruto de su amor.

Y que sea siempre este lugar muy santo
Donde se predique la Palabra de Dios;
Donde las plegarias y los sagrados cantos
Al cielo se elevan con fervorosa voz.

Donde los que sufren reciban el consuelo
Y los pecadores conozcan a Jesús;
Y los herederos de las glorias del cielo
En unión vivamos, andando en la luz.

Los cristianos somos el templo del Dios vivo,
En nosotros mora el fiel Consolador;
Cada uno sea, por tanto muy activo,
Sirviendo a Cristo en santidad y amor.

(Se puede cantar con la música de "Santo, Santo, Santo".)

El Templo del Señor

Es muy hermoso estar
En la Casa del Señor,
Y en ella juntos cantar
A nuestro buen Salvador.

Aquí contentos se ven
En convivio fraternal,
Hermanos que se aman bien
Y viven para un ideal.

Vienen todos a adorar,
Con sincero corazón,
Al Creador de tierra y mar,
Quien nos da la salvación.

Este es un sitio santo,
Aquí se respira paz,
Y se escucha el dulce canto
De adoración a Jehová.

El templo es puerta del cielo
Y centro de santidad;
En él se imparte consuelo
Y se anuncia la verdad.

SECCION MISCELANEA

Entrega de una Biblia Blanca

Estrofas de felicitación
Recitadas con cariño;
Brotan del corazón
Con la inocencia de niño.

En forma sincera y franca
A ti, señorita cristiana,
Te entrego esta Biblia blanca,
El libro de doctrina sana.

Un gran paso vas a dar
Al unirte en matrimonio;
Que sea tu nuevo hogar
Del Señor fiel testimonio.

En este libro hallarás
En tus horas de conflicto:
La luz, el gozo y la paz
Que te brinda Jesucristo.

Estudia siempre en sus hojas
El evangelio divino,
Así nunca habrá congojas
De tu vida en el camino.

Tus compañeras cristianas
Te deseamos felicidad;
Que tengas muchas mañanas
Llenas de claridad.

Despedida a Algún Hermano o Hermana en Cristo

Cuando el cariño es sincero
Amarra los corazones,
Y derrama en el sendero
Luz de encendidos carbones.
Cuando la amistad es franca,
Y ningún enojo existe,

Del pecho este grito salta:
"La despedida es muy triste."

Cuando juntos se ha vivido
En leal compañerismo,
Y el gozo se ha tenido
De sentir todos lo mismo;
Cuando el amor sacrosanto
Llena el alma y la reviste,
Se exclama, entonces, con llanto:
"La despedida es muy triste."

Pero hay alivio y consuelo
Aun en medio del dolor,
Cuando se piensa en el cielo,
Cuando se vive en amor.
Cuando la dulce esperanza
Riega de luz el camino,
Cuando por la fe se alcanza
En Jesús alto destino.

Por eso, ahora, señores,
Despedimos con lealtad
A quien merece honores
Y el calor de la amistad.
Hoy le vemos, pues, partir
Con tristeza y con pesar,
Y es que podemos decir
Que la vida es un viajar.

Hará falta nuestro hermano
En los que estamos aquí:
Su fuerte apretón de manos
Y su sonrisa feliz.
Su recuerdo, sin embargo,
Con nosotros quedará,
Y este momento amargo
El amor lo endulzará.

Dios bendiga a nuestro hermano
En la ruta por do va,
Y lo conserve lozano
Con la paz que el cielo da.
Mientras tanto, nos da aliento
La esperanza en el Señor,

De que habrá un feliz encuentro
En la patria de su amor.

Juventud, Aprende

Cuando mires de otros la existencia
nunca imites de ellos la maldad,
mas procura aprender con diligencia
lo que tengan de altruismo y de bondad.

Busca en todas las cosas lo mejor,
sin tomar lo supérfluo y lo falaz,
pues quien busca lo bueno con ardor:
ese aprende en la vida mucho más.

Mira al ave y aprende de ella
que es su anhelo por siempre subir;
sube tú por la escala más bella,
procurando a todos servir.

Sé cual un manantial cristalino
que refleja en sus aguas el cielo;
que en tu vida, que es soplo divino,
se retraten la paz y el consuelo.

A los pies de Jesús con respeto,
cual María aprendamos también;
sólo Cristo da gozo completo,
sólo él hace la vida un Edén.

Aun el pobre, el humilde, el enfermo,
aun la cosa pequeña y trivial,
nos enseñan muy sabios consejos:
aprender sea, pues, nuestro ideal.

Si Puedes

Si en la tristeza puedes cantar,
si en el dolor puedes reir;
si aunque fracases puedes luchar:
eso es vivir.

Si te desprecian porque eres fiel,
si te castigan por ser veraz,

si tú en cambio ofreces miel:
feliz serás.

Si en vez de espinas, fragancia das,
si amas a todos en vez de odiar;
si en vez de guerras siembras la paz:
eso es triunfar.

Si en la noche oscura y cruel
tu luz enciendes para alumbrar
al nauta errante con su bajel:
eso es amar.

Si al rencor no das lugar
y pronto olvidas la ofensa atroz,
y has aprendido a perdonar:
eso es de Dios.

Si el pesimismo cunde doquier,
y todos lloran en el sufrir,
mas tú procuras siempre vencer:
eso es subir.

Si en cosas simples puedes tú ver
que es posible nobleza hallar,
porque el Creador las hizo ser:
eso es soñar.

Por fin, si puedes quedar en pie
cuando otros caen por su temor,
y tú prosigues lleno de fe:
eso es honor.

Si en Jesucristo pones tu fe,
y arrepentido no pecas más;
si perseveras, esto yo sé:
que al cielo irás.

La Vida Moderna

La vida moderna es vida de afanes,
Andamos de prisa, a todo correr;
En busca de peces, en busca de panes,
En busca de cosas, de oro y placer.

Hay sed insaciable de bienes terrenos
De fama, de gloria, de influencia y poder;
Ya muchos no quieren seguir siendo buenos,
Tan solo desean pasear y comer.

Prodigios a miles se miran doquier,
Se aprietan botones y todo ya está;
Ahora es más fácil objetos tener,
La deuda, en abonos, pagarse podrá.

Las sanas costumbres, los rectos modales,
Las normas decentes del sobrio vivir,
La firme defensa de nobles ideales
Parecen ser cosas que están por morir.

El hombre ya puso su planta en la luna,
Se lanzan cohetes al cielo sin fin,
Y sólo se espera la hora oportuna
De ser astronautas del vasto confín.

Fantástico avance en todas las ciencias
El hombre ha alcanzado con llanto y sudor,
Y ahora ya puede usar las potencias
Que puso en el átomo el sabio Creador.

Existe el peligro de guerra nuclear,
Hay bombas que pueden al mundo destruir;
Los hombres no logran la paz alcanzar,
Y horrible zozobra les hace sufrir.

El cuadro del mundo se mira sombrío,
Señales del fin cumpliéndose están;
La hora del juicio se acerca, Dios mío,
Y todas las almas, ¿adónde se irán?

La vida moderna de orgullo y riqueza,
Un día de tantos tendrá que pasar;
Debemos, entonces, con toda entereza,
En Cristo tan solo la dicha cifrar.

D i o s

A ti, oh Dios, excelso y santo
Que eres Supremo en tu existir,
Yo, tu criatura, que te amo tanto,

Elevo hoy mi humilde canto
De gratitud y fiel sentir.

¿Quién como tú, oh Dios eterno?
Que en todas partes tú siempre estás:
Eres un Padre amante y tierno,
El que nos libra del cruel infierno
Y nos prodiga perdón y paz.

¿Quién tu grandeza podrá medir?
¿Quién tu justicia podrá alcanzar?
Hasta tu trono podrá acudir
Sólo el que humilde en su gemir
Perdón te implore por su pecar.

¡Oh maravilla tan infinita!
Sabiduría, perfecta Luz,
Fuente de gracia, pura y bendita,
A ti mi alma te necesita
Para envolverse en tu capuz.

Todos los hombres deben rendirse
En actitud de santo amor,
Y de tu mano con fe asirse
Para en el fango jamás hundirse
Do sólo existen llanto y dolor.

Recibe, pues, Señor del cielo,
La fe sincera de mi alma hoy,
Dame tu paz y tu consuelo,
Y llena mi alma de santo anhelo,
Tú eres mi Padre y yo tu hijo soy.

Libres por la Verdad

Los jóvenes deseamos vivir en libertad
Para disfrutar contentos del amor;
Pero seremos libres creyendo la verdad
Que a este mundo trajo Jesucristo el Salvador.

CORO:

Somos libres ya por la muerte de Jesús,
Libres del error, del engaño y la maldad:

Para andar triunfantes por sendas de luz,
Que al cielo nos llevan con seguridad.

Peligros nos rodean y hay que batallar
Contra las corrientes del pecado vil;
El joven necesita dispuesto siempre estar
A vencer con Jesucristo en el mundo hostil.

Alcemos la bandera que anuncia libertad
Para los cautivos en la red del mal;
Si el Hijo nos liberta seremos, en verdad,
Libres para disfrutar del Reino celestial.

NOTA: La letra de este himno se puede cantar con la música del himno: "Oh Jóvenes, Venid".

Cuando Vine a Cristo

Yo traje mis cargas a Cristo Jesús
y alivio profundo mi alma sintió;
mi vida llenose de paz y de luz,
y el rumbo de ella por siempre cambió.

Yo antes vagaba con dudas, sin fe,
cual barco perdido en tétrico mar;
y en busca de puerto tan solo encontré
hundirme más hondo en negro pecar.

Fue época triste mi vida de ayer,
las sobras cubrían mi pobre existir;
yo estaba sediento de fama y placer:
las cosas que sólo me hicieron sufrir.

Un día, no obstante, todo esto pasó:
la noche de dusa por siempre se fue,
el rostro de Cristo mi alma alumbró
y el rumbo dichoso por fin inicié.

Ahora transito la senda del bien,
mi anhelo es servir, mi anhelo es amar;
la Biblia es mi guía, mi pan, mi sostén,
mi gozo es ahora a Cristo alabar.

Ven tú, pecador, acepta a Jesús,
decídete ahora sus pasos seguir;

por darte la vida murió en la cruz,
si crees en él al cielo has de ir.

El Gran Dilema del Hombre

El eterno conflicto del alma
Es conflicto de amor y de odio:
Ora surge contenta la calma,
Ora brota el fatal episodio.

Una lucha tremenda y sangrienta
Se suscita entre el bien y el mal;
Hoy lo bueno en el alma se asienta
Y mañana lo malo es lo real.

Cual si en uno habitasen dos seres,
Pugilato se vuelev el vivir:
Uno busca con sed los placeres
Y el otro lo puro sentir.

Hay tendencia a lo bajo y lo malo,
Y el deseo también de subir,
Y a veces ni hay intervalo
Entre el gozo y el duro sufrir.

Como existen la noche y el día
En contraste de negro y de luz:
Hay tristeza y también alegría
Arropadas del mismo capuz.

Hoy gigante el hombre parece
Con las ansias del cielo tocar,
Y mañana humillado perece
Cual pigmeo en su necio pecar.

Hay un ángel muy dentro de uno,
Que es ideal de esperanza y de fe;
Sólo espera el momento oportuno
De ascender donde el triunfo se ve.

Una rueda girando es la vida,
Cuyo centro es lucha sin par;
Las espinas harán cruel herida
Al que quiera sus flores cortar.

Existir es punzante dilema
Que el hombre no puede evitar:
O valiente navega y rema,
O se deja hundir en el mar.

Si la vida es en veces oscura,
Y hay problemas y cruel agonía,
La respuesta mejor y segura
Es seguir a Jesús nuestro Guía.

Si dejamos que él vaya adelante,
Con su mano indicando el camino,
Llegaremos con gozo triunfante
A la meta de nuestro destino.

Decidamos seguir las pisadas
De Jesús el sin par Capitán,
Y del cielo sus bellas moradas
De los fieles creyentes serán.

Sé el águila, oh hombre, que sube
En sus alas de luz hacia el sol;
No el gusano que en lodo se pudre
Sin mirar el hermoso arrebol.

DIA DE ACCION DE GRACIAS

Canto de Gratitud a Dios

Brotan de mi alma con fe sincera
Dulces plegarias de gratitud,
Al Padre eterno, Causa primera,
Fuente de vida, Luz verdadera,
Quien da las fuerzas y la salud.

De Dios proceden las cosas buenas
Que son reflejos de santo amor:
Todas las playas con sus arenas
Y las praderas de flores llenas,
Alfombra regia multicolor.

El cielo vierte su luz de estrellas
Sobre la noche, que es manto atroz,
Y en los celajes de tardes bellas
Se pueden ver las tenues huellas
Del amoroso, benigno Dios.

Son incontables las bendiicones
Que a diario el hombre recibe aquí,
Pues le ha rodeado de ricos dones
Bajo el amparo de sus pendones,
El Dios bendito, que te ama a ti.

En todo puede verse la mano
De un plan de orden, de amor también;
No es la existencia capricho vano
Ni es el hombre un vil gusano,
Sino el objeto del Sumo Bien.

Hoy demos todos, entonces, gracias,
Con regocijo, amor y fe,
A Dios quien salva de las desgracias,
De los peligros y las falacias,
Pues con cariño siempre nos ve.

Por la comida, por el vestir,
Por el trabajo y la amistad,
Porque en las horas del peor sufrir
Aún podemos cantar, reir,
Sin apartarnos de la verdad;

Por los encantos de nuestro hogar,
Por las caricias del bello amor,
Por las montañas y por el mar,
Y por los ríos en su rodar:
Gracias te damos, oh buen Señor.

Por cada aurora de un nuevo día,
Y por las aves en su trinar,
Y por la horrible algarabía
De vientos recios, que en rebeldía,
Causan tormentas en bosque y mar;

Por la ternura de una sonrisa,
Que no es difícil, y mucho da;
Por la palabra que es dulce brisa,
Ala que eleva y sublimiza
Al que en angustia sufriendo está.

Por libros buenos, fuente de luz,
Que son del hombre jugoso pan;
Por nuestra Biblia, y por Jesús,
Quien dio su vida en cruenta cruz
Para librarnos de todo afán;

Por la esperanza, dulce y preciosa,
De vida eterna en tu mansión;
Por tu designio en cada cosa
Y por tu ley, Señor, hermosa:
Gracias te damos, de corazón.

Gracias, Señor

Gracias, Señor, por el momento hermoso
En que mi alma se llenó de gozo
Porque tu rostro de piedad yo ví
Que hizo nacer la esperanza en mí.

Gracias, Señor, por tu voz tan quieta
Que se hace oir cuando el dolor aprieta,
Y es como ungüento de consuelo santo
Que neutraliza mi cruel quebranto.

Gracias, Señor, por tu amistad continua
Que me liberta de toda ruina,
Dándome fuerza para seguir
Por el sendero del buen vivir.

Gracias, Señor, porque eres bueno,
Porque cultivas en el terreno
De mi existencia las frescas rosas
De tus palabras dulces y hermosas.

Gracias, Señor, porque alumbraste un día
Con luz de aurora en mi tarde umbría
Y ya no anduve por camino erróneo,
Pues fuiste tú mi compañero idóneo.

Gracias, Señor, porque aprendí el secreto
De un pensar sabio y concreto,
Y ahora puedo confrontar la vida
Sin vacilar, con la frente erguida.

Gracias, Señor, porque tú existes,
Para los pobres, para los tristes,
Para el humilde de corazón
Que arrepentido busca el perdón.

En fin, Señor, gracias por todo
Lo que tú eres; y po rel modo
Tan compasivo que hay en ti;
Yo soy tu hijo, ven mora en mí.

NAVIDAD

El Jesús Universal

Jesús es sol fulgoroso
Que alumbra al hombre en su andar;
Su rostro inunda de gozo
Y aleja todo pesar.

Jesús es flor que embellece
Y aroma grato nos da;
Su palabra fortalece
Al que muy débil está.

Jesús pertenece a todos,
Como él no hay otro igual;
Expresa de muchos modos
Su amor fiel y celestial.

En un pesebre nació
Cuando tierno Niño fue,
Mas su gloria se extendió
Por los senderos de fe.

Su Nacimiento

La feliz Navidad
Es la fiesta del amor;
Hubo gozo y paz
Al nacer el Salvador.

Adoremos hoy a Dios
Encarnado en Jesús;
Al Hijo que nos dio
Amor y santa luz.

El amor divino
Los humanos sentirán,
Y el buen camino
Complacidos seguirán.

Ven, Niñito Jesús

Oh santo Niño, oh Jesús,
Tú que del mundo eres la luz,
Ven a mi ser y haz allí
Un lecho suave para ti.

Con gozo canto mi canción,
Callar no puede el corazón
La dulce historia de Belén,
Que trae al hombre paz y bien.

En las alturas gloria a Dios
Que a su Hijo santo dio
Mientras el ángel canta paz
De este mundo en la ancha faz.

Nuestra Ofrenda a Jesús

RUTH.—
¿Adónde vas tan alegre
con ese ramo de flores?
Un rostro sonriente tienes
Y lleno de resplandores.

JUDIT.—
¿No sabes que hoy ha nacido
el divino Redentor?
Jesús, en quien se han cumplido
las promesas del Señor.
Voy por eso presurosa
para obsequiarle estas flores;
yo quiero ser la primera,
detrás vienen los pastores.

RUTH.—
Espera, pues, buena amiga,
¿no podré ir yo también?
Mas con las manos vacías...
¿iré yo hasta Belén?
Un momento, voy a casa:
algo he de dar a ese Niño.

JUDIT.— Vamos pronto, el tiempo pasa:
ofréndale tu cariño.

RUTH.—

Veo que tienes razón,
tu consejo tomaré;
muy gustosa el corazón
a sus pies le ofrendaré.

JUDIT.—

Corramos, que se oye el ruido
de los pastores que vienen.
¡Gloria a Cristo que ha venido,
su gozo siempre nos llene!

La Estrella que Guió a los Magos

Una estrella guió a los magos
al pesebre de Belén:
sobre rios, sobre lagos,
sobre montañas también.

Recorriendo el vasto cielo
en su camino de luz:
alumbró a nuestro suelo
con la gloria de Jesús.

Era noche muy oscura
de tristeza y perdición;
que envolvía en amargura
a la humana población.

Mas la estrella de esperanza
fue al hombre pecador,
anunciándole bonanza
en el Niño-Salvador.

Esa estrella misteriosa
que del cielo era luz,
alumbró la fatigosa
caminata hacia Jesús.

Si tú quieres cual los magos
tu camino iluminar,
ya no sigas por los vagos
pensamientos del dudar.

Hoy emprende la jornada

de la fe y la piedad,
pues la luz por Cristo dada
te guiará a la verdad.

La Estrella Solitaria

Una estrella en la noche brilla solitaria,
y así pensó: "Mi poca luz es débil y precaria.
No hay un solo viajero que pueda ver su camino,
que pueda dirigirse por mi rayo mortecino.
Pero no me apagaré, sino que será mi anhelo
procurar brillar en este vasto y oscuro cielo."

Por el ancho mundo andaba una alma triste e inquieta,
luchando sola por divisar la nublada meta.
Toda la noche, desesperada, ella luchó,
pero ninguna luz que la guiara arriba vio.
Y dijo: "Luna no hay; por eso estoy muy triste;
creo que toda esperanza para mí ya no existe."

Pero al través de su ventana estrecha pudo ver
un punto muy reluciente, de esplendoroso arder.
Era la estrella solitaria. El alma gritó
y que pasara la nube muy contenta esperó.
Cuando llegó la aurora con dorado resplandor
el alma dijo: "Anoche yo encontré al Salvador."

Al través de una estrella yo le hallé —ella debe ser
la Estrella de Belén, la cual mis ojos pueden ver,
pues al Señor me guió— y fue así cómo llegué
y las colinas flameantes del cielo contemplé,
todas brillando con resplandores de esa estrella
cuya luz pequeña pero estable me dio la huella.

¡Oh pequeñita estrella, no temas de que tu luz
no se pueda en la noche mirar sobre el cielo azul!
Aunque seas pequeña, si eres estable en verdad
alumbrarás el sendero hacia la eternidad.
En el cielo ellos saben, con los ángeles y Dios,
que una estrella pequeña a una alma iluminó.

(Traducido del inglés.)

La Restauración de una Mujer o María Magdalena

(Drama en dos actos)

ACTO PRIMERO

(Se abre el telón. Entra una mujer, algo joven, vestida a la usanza oriental. Con pasos apresurados, como huyendo. Al llegar al centro del escenario cae y, entre sollozos lastimeros, dice):

MARIA.—¡Ay, Dios mío! Mi vida es muy desdichada. Todos me insultan y menosprecian. Me lanzan miradas ofensivas y se burlan de mí. Nadie se interesa por darme una palabra de consejo, de estímulo. Tiran la piedra y me dejan caída. Quisiera ser una mujer virtuosa, buena, pero... soy tan débil y ninguno quiere ayudarme. *(Levantando un poco la cabeza):* Dios mío, ¿habrá esperanza para mí? *(Cae de nuevo sollozando.)*

REBECA.— *(Mujer judía, entra algo apresurada con un canasto en el brazo izquierdo y con aire alegre):*

¡Ya se me hizo tarde, pero creo que todavía encontraré verduras y carne en el mercado!

(Se detiene de pronto, y ve a la mujer caída en el suelo. Pone el canasto y se inclina para ver quién es.)

¡Pobrecita! ¿Quién será? Quizá está muy enferma. *(Toca la cabeza de la mujer y le dice):* Oye, joven, ¿quién eres tú y qué te sucede?

(María levanta el rostro para mirar a su interlocutora y lanzando un ¡Ay! triste y profundo, queda mirando a Rebeca. Esta la reconoce.)

¡María! ¡Cómo! ¡Si es María Magdalena, a quien todos llaman la pecadora! ¿Y qué haces aquí, criatura de mi alma?

(Entonces pasan dos mujeres y al reconocer a la Magdalena dicen):

PRISCILA.— ¿Allí está la pecadora, la María Magdalena! ¡Es la más mala del pueblo!

SUSANA.— *(Después de mirar con algo de enojo a las mujeres):* No les hagas caso; no tienen misericordia del caído. Bueno, pero ¿qué haces aquí?

MARIA MAGDALENA.— Pues es que iba yo al templo muy temprano hoy, para confesar mis pecados a Jehová y suplicar su divina misericordia, cuando unos fariseos me salieron al encuentro y me tiraron por las gradas hasta hacerme rodar a la calle. Entonces les oí que decían: "Adúltera, pecadora, tú no puedes entrar aquí, eres muy sucia." Luego me di cuenta que tomaron piedras con la intención de lanzármelas y, a como pude, eché a correr y corrí y corrí, pero me faltaron las fuerzas y caí desmayada como me ves. Dichosamente, les dio vergüenza ir tras de una mujer por las calles y regresaron.

REBECA.— *(En tono fuerte.)* ¡Hipócritas, cuelan el mosquito y se tragan el camello!

MARIA.— *(En actitud humilde):* Dime, Rebeca, yo quiero reformarme; estoy cansada de esta vida; quiero ser una santa y andar por buen camino. ¿Habrá esperanza para mí?...

REBECA.— No debes tener ninguna duda de ello. Nuestro Dios es lento para la ira y grande en misericordia. Al corazón contrito y humillado no despreciará. ¿Y sabes? Ahora recuerdo. La semana pasada fui a la aldea de Belén a visitar a mi tía Marta, y encontré a toda la gente muy alarmada. En todos los rostros pude notar una inusitada alegría. El mismo cielo me pareció más claro y más hermoso.

MARIA.— ¿Y a qué obedecía todo eso?

REBECA.— Pues mi tía Marta me lo explicó. Es la historia más linda que he escuchado en toda mi vida. Me dijo que María y José, la agraciada pareja de Nazaret, habían llegado a empadronarse, obedeciendo el mandato de Augusto César, el emperador de Roma. Y que esa misma noche, no habiendo encontrado donde posar, se fueron al mesón y que allí la virgen había tenido a su hijito, un precioso niño, quien, según las profecías, será el Salvador del mundo y que por eso el ángel le había puesto el nombre de Jesús.

MARIA.— ¡Qué lindo! ¡Qué precioso! ¡Sígueme contando!

REBECA.— Me refirió también que unos ángeles les habían anunciado a los pastores del rebaño del tío Roque, el nacimiento de Jesús y que ellos corrieron presurosos, cruzaron la cañada y llegaron jadeantes al pueblo, gozándose cuando vieron a aquel niño, de quien todas las gentes dicen que es la esperanza del mundo...

MARIA.— (Suspirando.) ¡La esperanza del mundo...!

REBECA.— Y si gustas, ahora mismo podemos ir a casa de Ana, la profetisa, no sin antes dar una vuelta por la mía para ver a mis niños. Ella está más al tanto de estas cosas y podrá darnos, estoy segura, una explicación mejor.

MARIA.— ¡Vamos! Pero, ¿y tú no ibas al mercado?

REBECA.—No te preocupe eso, María. Cuando se trata de la restauración de una vida todo se deja. ¡Marchemos!

(Se levantan, ayudándole Rebeca a María Magdalena y echándose las dos el brazo. Luego Rebeca tira el canasto con el pie y, empezando a caminar, dice):

¡Que se quede el canasto porque me va a servir de estorbo! Quizá pase alguna mujer pobre que lo recoja y le haya de ser muy útil.

(Salen. A poco pasa una mujer muy pobre. Lleva en las manos algunas verduras. Se le caen. Al inclinarse a recogerlas ve el canasto y, tomándolo y echando las cosas en él, dice):

MUJER POBRE.— ¡Ay, qué suerte la mía! Al fin tendré en qué hacer mis compras. (Pasa de viaje, muy ufana.) (Se baja el telón.)

ACTO SEGUNDO

(Aparece una sala, estilo oriental. Si es posible, luces de candelas o faroles. Hay un canapé o sofá en la sala. Una señora de edad avanzada está sentada leyendo un rollo de las Escrituras. Entran Rebeca y María.)

REBECA.— Salve, Ana profetisa. Muy buenas noches.

ANA.— La paz sea con vosotras, hijas de Israel. ¿Qué os trae a mi modesta morada? Sentaos.

(Se sientan. María en un canapé.)

REBECA.— Acompaño a María Magdalena...

ANA.— (Interrumpiéndola al momento.) ¡Ah! (Con

asombro.) ¿Ella es María Magdalena? La he oído mencionar mucho. *(La mira.)*

REBECA.— Porque deseamos que tú le hables del niño Jesús, el Mesías, quien hace pocos días nació en Belén.

ANA.— Con verdadero placer, Rebeca. ¡Qué casualidad! Esta mañana fui al templo y allí me encontré con José y María, quienes llevaron al Niño Jesús a circuncidarlo, según manda nuestra santa ley. El anciano Simeón y yo lo alzamos. Es todo un encanto. El niño Jesús vino a buscar y a salvar todo lo que se había perdido; él reunirá a las ovejas perdidas de la Casa de Israel. El llevará en su propio cuerpo el pecado de todos nosotros. Ahora sí descansaré en paz porque he visto al Hijo de Dios.

REBECA.— ¿Oyes, María? *(Dirigiéndose a ella.)*

MARIA.— Sí, mi querida Rebeca. Esto consuela mi alma. Jesús tendrá misericordia de mí; él me perdonará; vino a buscar y a salvar lo que se había perdido... *(Se deja caer sobre el sofá y se queda como dormida.)*

REBECA.— ¡Pobrecita! Debe tener sueño; está muy fatigada. Esta mañana quisieron apedrearla los fariseos. *(Hace una pausa.)* Y parece que ya se hace noche, ¿verdad?

ANA.— Así es, hija. Si gustas, no te atrases más. Tus niños deben estar esperándote. Deja aquí a la Magdalena. Mañana podrás venir por ella. Yo sabré cómo hablarle.

REBECA.— *(Poniéndose de pie y saludando con una leve inclinación del cuerpo.)* Muchas gracias, Ana. Me iré al momento. Adiós.

ANA.— Jehová te recompense, buena mujer, y su paz repose sobre ti. *(Sale Rebeca. Ana toma de nuevo el rollo de las Escrituras y continúa la lectura con toda piedad. A los pocos momentos oye que María se voltea, dando el rostro hacia el público, pero siempre dormida. Una luz especial puede enfocarse hacia el rostro de María, para mejor efecto.)*

MARIA *(Dormida.)* ¡Ay, qué ingratos! ¡Tened compasión de mí!

ANA.— *(Con parsimonia.)* ¡Parece que sueña! Dios te dé feliz revelación.

(Sigue leyendo. De pronto se oyen unos gritos de hombres, desde adentro. Suspende la lectura y escucha. María hace genuflexiones con el rostro simulando que está soñando.)

LOS FARISEOS.— *(Desde adentro.)* Mala, adúltera, transgresora de la ley. Aquí está, condénala, Maestro.

(Siguen a esto momentos de silencio. Luego una voz, siempre escondida, pero firme y a la vez dulce):

JESUS.— "El que de vosotros se encuentre sin pecado, que arroje contra ella la piedra el primero." *(De nuevo profundo silencio.)*

"¿Y qué se hicieron los que te condenaban?"

MARIA.— *(Dormida.)* Todos se han ido, Maestro.

JESUS.— "Ni yo te condeno; vete en paz y no peques más." *(El rostro de María sonríe.)*

(De pronto, despertándose excitadamente, María Magdalena se levanta del sofá y cayendo de rodillas hacia el centro del escenario, levantando las manos y el rostro, dice):

MARIA.— Gracias, Señor, he contemplado tu rostro, lleno de misericordia. Mis enemigos me perseguían y me acusaban, mas tú perdonaste mi pecado. Mi vida rindo a ti hoy. Tú naciste para morir por mí; hoy yo he nacido para vivir para ti. ¡Me has restaurado! Me siento una nueva mujer; con tu ayuda seguiré tus pisadas. ¡Gloria sea a tu santo nombre! *(Baja los brazos y cierra las manos junto a su pecho, inclinando la cabeza. Ana ha contemplado todo esto con reverencia; luego se pone de pie y alzando las manos exclama):*

ANA.— Oh gloriosa Navidad, alumbra tú el sendero de las almas perdidas!

(Simultáneamente se escucha oculto un coro que canta la primera estrofa y el coro del himno: "Cristo acoge al pecador." Y se va cerrando el telón paulatinamente.)

"El Retorno a Nazaret"

Explicación:

Un matrimonio judío, descontento con la opresión

ejercida por los romanos en Palestina, decidió irse a Egipto, estableciéndose en Alejandría. Allí vivieron muchos años y procrearon tres hijos: dos mujeres y un varón. El padre de la familia logró conseguir trabajo como escribiente en una de las oficinas de un rico banquero judío. Dichos esposos eran muy devotos en su religión y siempre acariciaban la esperanza de volver a su país; ellos eran oriundos de Nazaret y esperaban el nacimiento del Mesías. Sus hijos, sin embargo, no eran muy fervientes en la fe y se habían acostumbrado al ambiente egipcio, mostrándose inclinados a la frivolidad y a las diversiones. Llevaban de vivir en Alejandría veinticinco años. El varón, quien era el mayor de los hijos, tenía veintitrés años; se llamaba Absalom. Las dos hijas, ya señoritas, tenían respectivamente veintiún y diecinueve años. Se llamaban Dina y Jael.

Un día estalló una revuelta en Alejandría con pretenciones de derrocar al gobierno. Algunos judíos aparecieron complicados en la conspiración y el gobierno dictó órdenes para apresar a los judíos más prominentes e incautarles sus bienes, como drástica represalia por su fallida asonada. Entonces Eliud, que tal era el nombre del personaje de esta historia, decidió regresar con su familia a Nazaret. Parece que una mano providencial lo dirigía en todos sus pasos. El era amante de la libertad y deseaba conducir a su familia por los caminos santos del Señor. El regreso a su patria querida le permitió la oportunidad de conocer al recién nacido Mesías de Israel y de ver la consagración de sus hijos a la vida de fe y de piedad, inspirada en el Niño de Belén.

ACTO I

(En la casa de habitación, en Alejandría)

(Aparecen en la sala de la casa Sara, quien es la madre de la familia, ella y sus dos hijas. Se miraron un poco preocupadas.)

DINA.— Pues yo no soy de la opinión de que nos vayamos a Nazaret. No conocemos a ninguno de nuestros parientes y, además, perderíamos nuestras amistades y el ambiente social que tenemos aquí en Alejandría.

JAEL.— En cuanto a mí, aunque me sentiría triste

por salir de aquí, sin embargo, me gustaría conocer la tierra de nuestros padres. María, nuestra prima, se alegraría mucho al vernos, y más ahora que se desposó con José, el carpintero.

SARA.— Nosotras no sabemos los caminos del Señor, hijas mías. Eliud ya está fastidiado de vivir tanto tiempo en tierra extraña. Yo me temo que él ahora sí quiera que nos volvamos a nuestra ciudad natal. En fin, debemos hacer la voluntad de Dios.

(En eso entran a la sala Eliud y Abiatar, el Rabbí de la sinagoga. Eliud lleva una linda alfombra enrollada, la cual pone sobre el desván, y Abiatar sujeta con su brazo algunos cilindros de pergaminos sagrados.)

ABIATAR.— La paz de Jehová sea con vosotras, hijas de Israel. *(Se sientan.)*

SARA.— ¡Cuánto honor tener al Rabbí Abiatar en nuestra casa! Sea muy bienvenido el siervo del Señor.

ELIUD.— Mañana mismo saldremos a las seis de la mañana. Ya todo lo tengo arreglado. Nuestro Rabbí Abiatar está también decidido a irse con nosotros. La situación de nuestro pueblo en esta tierra extranjera comienza a hacerse insoportable. Ya el Gobernador emitió las órdenes de maltratar a los judios. Salimos de Galilea por no sufrir la bochornosa opresión romana, y ahora nos vemos abocados ante la persecución de estos incircuncisos egipcios. Quizás Jehová tenga misericordia de su pueblo y cumpla ya su promesa de enviarnos al Mesías-libertador. ¿Qué decis vosotras?

SARA.— Yo no me opongo, Eliud. Es lo que estaba deseando. Este ambiente profano de Alejandría ya no me gusta para mis hijas. ¿Por qué han de casarse ellas con los enemigos de nuestro Dios?

ABIATAR.— Y vosotras, Dina y Jael, ¿queréis el retorno a Nazaret?

JAEL.— Si todo viene de Dios, que así sea.

ELIUD.— Y miren qué alfombra más linda me compré en la tienda de Barzilai. Será nuestro regalo de bodas a María, mi sobrina.

ABIATAR.— ¿Qué? ¿Es ella María, la que yo dejé muy pequeña cuando salí de Nazaret? ¿Ya desposó?

JAEL.— Sí, con José, el humilde carpintero que le fabricaba los yugos a papá. El comerciante Joab, recién llegado de Galilea, nos informó del compromiso de María con José.

(Entonces entra en la sala Absalom, llevando en sus manos un pergamino y un tintero con su pluma, todo lo cual coloca en la mesa del centro, se sienta y habla airadamente.)

ABSALOM.— Ya no asistiré a la universidad. Estos infames alejandrinos se la traen contra los judíos. Apenas alguien protesta contra los desmanes del gobierno, nos lo achacan a nosotros. ¡Los judíos... los judíos, nosotros tenemos la culpa de todo!... ¡Al diantre con esta gente!

DINA.— Bueno, aquiétate, hermano, ya mañana nos iremos.

ABSALOM.— ¿Cómo? ¿Es verdad, papá? ¿Al fin regresaremos a Nazaret? Esto es lo que yo quiero. En Jerusalén podré continuar mis estudios. Volvamos a nuestra tierra.

ELIUD.— Sí, hijo mío. Y ya está todo arreglado. Simón, mi hermano se encargará de enviarnos el dinero de las negociaciones tan pronto como lo recoja. Hoy mismo los criados enjaezarán los camellos y muy temprano arrumbaremos por el camino de Gaza. Llegaremos a Nazaret en el comienzo de la siega de la cebada.

ABIATAR.— No emprendamos el viaje sin impetrar la ayuda del Todopoderoso. Yo intuyo que algo espectacular está por acontecer en la tierra de nuestros padres. En estos días he meditado mucho sobre la profecía de Miqueas *(estrecha contra su pecho los pergaminos bíblicos)*, que nos habla del aparecimiento del Mesías.

ELIUD.— Sí, oremos.

(Todos inclinan la cabeza, en actitud de oración. Abiatar, en cambio, puesto en pie, levanta sus brazos y dice:)

ABIATAR.— ¡Oh, Jehová, Dios de nuestros padres Abraham, Isaac y Jacob! Muestra el camino que deben seguir tus siervos. Mira la aflicción de tu pueblo y cumple las misericordias firmes a David. Dános la liberación y la redención de todos nuestros males, enviándonos a tu Salvador, el Mesías, Amén.

TODOS.— Amén.

SARA.— Bueno, ya comienza a anochecer. Dina y Jael, id a aderezar las lámparas, y tú, Abiatar, ¿te quedarás a cenar con nosotros?

ELIUD. —Sí, por supuesto; él dormirá aquí, pues mañana todos saldremos juntos.

SARA.— Entonces iré a servir la comida.

ABSALOM.— Y mientras tanto, yo iré liando los bártulos. *(Salen Sara y Absalom. En eso entran en la sala Dina y Jael, ya con las lámparas encendidas para colocarlas en sus repisas. En este instante apáguense las luces del auditorio, dejando encendidas únicamente las candilejas del proscenio. Abiatar se levanta y acercándose a una de las lámparas, desenrolla uno de los pergaminos y se pone a leerlo detenidamente. Eliud toma la alfombra y comienza a arrollarla. Se oye música de fondo y el telón comienza a caer lentamente.)*

SEGUNDO ACTO

(En la casa de María, en Nazaret.)

(María aparece sola en la sala tejiendo un vestidito de lana. En actitud reverente y meditativa, ella canta el siguiente himno, con la música de "Piedad, oh santo Dios, piedad." Cuando termina de cantarlo, oye que llaman a la puerta, y luego se levanta, invitando a entrar a las personas que buscan.)

MARIA.— *(Tejiendo y cantando)* :

Oh Dios eterno, tuya soy,
mi vida entera es de ti;
callada por el mundo voy,
guardo el misterio sola, sí.

Dame valor para ser fiel,
el sacrificio y el dolor
quiero sufrir todo por él,
quien ha de ser nuestro Señor.

VISITANTES.— *(A la puerta.)* Tan, tan, tan.

MARIA.— Pasad adelante, buenas mujeres. ¿Quiénes sois? ¡Cómo, si eres tú, Sara! ¡Cuándo llegaste a Nazaret?

SARA.— *(Entrando Sara y sus dos hijas.)* Vinimos hace cuatro semanas, pero hemos estado muy ocupadas instalándonos en nuestro nuevo ambiente. Mis hijas estaban ansiosas por conocerte.

MARIA.— ¡Cuánto gusto, queridas primas! ¡Qué grandes y qué hermosas estáis!

ELLAS.— Y vos no vais de menos, María.

JAEL.— Supimos que os desposásteis con un buen mozo, de nombre José.

MARIA.— *(Se sonríe disimuladamente, no haciendo caso a la observación de Jael.)* Y tío Eliud, ¿está aquí también en la aldea? Me gustaría verle. *(Dirigiéndole la palabra a Sara.)*

SARA.— Sí, con él vinimos. Pero ni ha podido visitar a los familiares, pues él está haciéndole arreglos a la casa. De seguro que el sábado en la sinagoga podrás mirarle.

MARIA.— *(Un poco sobrecogida.)* Hace algún tiempo que no asisto a la sinagoga.

DINA.— En eso somos parecidas, pues nosotras no asistimos con regularidad; sólo cuando el Rabbí Abiatar nos avisaba de alguna función especial.

SARA. —Y dime, María; Ana, tu madre, ¿vive siempre contigo?

MARIA.— Sí, no me he separado aún de ella; pero ya pronto José me llevará a su casa. Voy a llamarla para que se goce viéndolas. Fue a darle una vuelta a mis hermanos, que están espigando en los campos de la cebada.

Ya debe haber regresado. Mamá, mamá, ven un momento. *(En voz alta y con rostro hacia la puerta que da al interior de la casa.)*

ANA.— *(Respondiendo desde adentro.)* Sí, hija, voy al instante. *(Entra en la sala y se sorprende al ver allí a Sara y a sus hijas.)*

ANA.— ¡Cómo! ¿sois vos, Sara...? ¿Y estas lindas mozas son tus hijas...? En los campos de la cebada ya se está corriendo la noticia de que habías llegado. Mis dos hijos varones están ansiosos por conocer a sus primas.

SARA.— Qué bueno verte otra vez, Ana. Cómo han pasado los años y tú pareces la misma. ¿No es cierto?

ANA. —No te creas, ya son muchas canas las que peino. La vida se me ha vuelto más dura desde que murió Joaquín, mi esposo. Mis muchachos ya están grandes y trabajan para ayudarme, pero María me viene preocupando *(María inclina la cabeza como apenada)* desde hace algunos meses, pues se mira muy silenciosa y meditabunda y siempre se pasa cantando un himno que ella misma compuso.

JAEL.— Bueno, tía, y ¿dónde están nuestros primos? Queremos conocerlos.

ANA.— Muy buena idea... ¿por qué no vienen conmigo? Yo las llevaré adonde ellos están; volveremos dentro de un rato. Así Sara y María podrán conversar solas.

SARA.— Id, hijas, y no os alejéis de vuestra tía. *(Salen. María se queda sentada, con el rostro inclinado y sollozando.)*

SARA— *(Acercándose).* ¿Qué te sucede, María? Parecéis muy preocupada. Me llamó la atención lo que dijiste de que ya no asistías a la sinagoga, y lo que dijo Ana también me hace pensar.

MARIA. —Es que no quiero ser el escándalo del pueblo.

SARA.— María, ¿qué es lo que dices? No alcanzo a comprender el significado de tus palabras. Explícate. Yo soy tu amiga y guardaré todo lo que tú me digas.

MARIA— Confío en tu amistad y por eso te revelaré un santo misterio. Dentro de tres meses yo tendré un hijo. José no lo sabe todavía, y sin embargo, él y yo tendremos que ir pronto a Belén para empadronarnos.

SARA.— ¡¡Cielos!! ¿Y cómo es eso...?

MARIA.— Hace algún tiempo estaba yo aquí en esta misma sala; mamá estaba sacando el agua de la fuente, cuando de pronto me sentí sobrecogida ante la aparición de un ángel, rodeado de una luz mirífica; era el ángel Gabriel, enviado del Señor, y vino a anunciarme que yo sería la madre del Salvador. Ya puedes imaginarte que un temor me corrió de pies a cabeza; al instante pensé en el inmenso sacrificio que tal cosa significaba para mí; pensé en cuál sería la reacción de José, en las sospechas de mi madre, en las dudas de mis amigas y en los cuchicheos y miradas maliciosas de mis vecinos. Pero el ángel me explicó que el Espíritu de Dios intervendría en este misterio. Entonces me llené de valor y me resolví a hacer la santa voluntad de Jehová Dios y, reconociendo mi indignidad para tan alto privilegio, le dije al ángel: "He aquí la esclava del Señor; hágase a mí conforme a su palabra." He querido guardar el secreto, pero ya muchos están sospechando que algo extraño sucede en mí.

SARA.— Bendita seas tú del Señor, dichosa mujer. Cuántas vírgenes en Israel quisieran tener tu privilegio. Mas todo te viene del Dios bondadoso, quien ha mirado la aflicción de su pueblo. Bien dijo el Rabbí Abiatar que para algo nos traía Dios a nuestra tierra. Dicha grande es la tuya, María, y también nuestra porque veremos al Redentor. ¿Y te ha dicho algo José?

MARIA.— Todavía no. El es un varón justo y prudente. Pero yo no temo, pues sé que Dios enviará a su ángel para que le revele a él la verdad de este asunto. Cuando lo sepa es seguro que gozosamente acatará la voluntad de nuestro Padre celestial.

SARA.— Ahora sí ha llegado el día de nuestra liberación. Qué feliz se pondrá Eliud cuando sepa que en su familia está la madre del Salvador. Y oye, María, ya Ana y mis hijas demoran.

MARIA.— Deben venir todos de camino. Esta es la hora cuando los mozos regresan. Si quieres vamos a encontrarles.

SARA.— Vamos. *(Salen.)*

TERCER ACTO

(En una casa en Belén, de amigos de Ana y María)

(María está sentada en la sala, teniendo al niño Jesús en sus brazos, y cantándole dulcemente.)

MARIA.— *(Se canta con la música de "Santa Biblia para Mí".)*

Muy feliz me siento hoy
porque al fin ya madre soy;
a mi niño cuidaré
y contento lo tendré;
él del cielo es la luz,
mi dulcísimo Jesús.

Oh misterio del amor,
de Jehová, nuestro Señor.
En su gracia me escogió
y a su hijo me entregó;
él ofrece salvación
al humano corazón.

ANA.— *(Entrando a la sala.)* María, ya es la hora de bañar al niño. Ya tengo todo listo, démelo.

MARIA.— Ay, mamá, tanto lo quiero que no quisiera apartarme de él ni un sólo instante. Qué dicha... tener a un hijito como Jesús.

ANA.— Sí, hija. Yo también me siento muy feliz al ser abuela de él. Ahora podré morir en paz, ya que han visto mis ojos al enviado de Jehová. Pero no nos demoremos; hay que estar listos con tantas visitas que en estos días nos han venido. *(María le da el niño a su madre Ana y ésta sale: María queda sola en la sala.)*

JOSE. —*(Entrando de la calle.)* Mañana saldremos para Egipto. Como ya te referí, el ángel del Señor se me apareció en sueños diciéndome que no descendiéramos a

Judea, sino que huyésemos al reino del sur. Probablemente nos radicaremos en Alejandría, aunque no sé si alguna familia allá quiera abrirnos las puertas de su casa para darnos hospedaje.

MARIA.— Está bien, José. Debemos siempre obedecer a la voz del Señor. Estoy segura que él nos proveerá de todo cuanto necesitemos. Y quiere la coincidencia que mañana mismo mamá saldrá de regreso a Nazaret; Otoniel, mi hermano, contraerá matrimonio pronto con Dina, la hija del tío Eliud. Sólo siento que no podré estar en esa fiesta matrimonial.

JOSE.— *(Mirando hacia afuera.)* Y parece que nos vienen visitas.

MARIA.— Cómo, si es el tío Eliud con su familia. Qué es eso. Pasen adelante y sean todos bienvenidos.

(Entran Eliud, Sara y Jael. Se saludan todos y luego se sientan.)

ELIUD.— Ya las nuevas llegaron a Nazaret de que habías tenido tu niño y que se llama Jesús. Nosotros no quisimos esperar hasta el regreso de ustedes, y dispusimos venirnos para verles, pues tenemos ansias de ser de los primeros en conocer al Niño-Jesús.

JOSE.— Pues la misma noche que nació el Niño vinieron unos rústicos pastores de los que cuidan las ovejas en los campos de Belén; entonces estábamos en el establo de Joás, el mesonero, mas como ya se han ido muchos de los peregrinos, encontramos posada en esta casa, cuyos dueños son también descendientes de David.

MARIA.— ¿Y el resto de la familia? ¿Cómo están todos?

SARA.— Dina tuvo que quedarse, pues, como tú sabes, ella se está alistando para su matrimonio con Otoniel. Eso es lo que yo quería, que mis hijas se casaran con los del pueblo de Jehová. Y Absalom se quedó acompañándola. Pero ya vosotros pronto regresaréis a Nazaret, ¿no? Todos allí están desesperados por verles.

MARIA. —Mañana mismo saldremos, pero para otra parte, a Alejandría, en Egipto. Esa es la orden de Jehová. El malvado de Herodes, según dicen, dio órdenes de que todos los niños de Belén menores de dos años, sean muertos, y nosotros debemos escapar para poner a salvo a nuestro niño, antes que vengan a la aldea los esbirros del rey. Mamá saldrá también mañana mismo, pero ella sí se regresa a Nazaret.

ELIUD.— Acabo de convencerme que Dios dirige los pasos de sus hijos. ¡Qué bien! Entonces, si vais a Alejandría, nada mejor que os hospedéis en la casa de Simeón, mi hermano. Decidle que de mi cuenta os provea de todo lo que necesitéis. Y nada más oportuno que también Ana regrese con nosotros. Tenemos un camello en que ella podrá ir cómodamente sentada.

JAEL.— Bueno, de todo hemos hablado, pero todavía no hemos visto al Niño. Para eso especialmente vinimos. ¿Dónde está?

ANA.— *(Entrando con el niño en sus brazos.)* Es que lo estaba arreglando. Pero aquí está; acérquense a mirarlo.

(Se acercan todos y le hacen cariñitos, y se vuelven a ver entre sí, con aire de sorpresa y de hondo regocijo.)

SARA.— ¡Qué preciosidad!... ¡es un encanto!...

JAEL.— ¡Nunca he visto otro niño igual! ¡Qué pudiera tenerlo para siempre conmigo!

ELIUD.— Este niño es la esperanza de Israel. Dios ha visitado a su pueblo. Cuán sublime e insondables son los misterios del Señor.

ANA.— Pero siéntense; tengo algo que contarles. *(Se sientan todos y Ana le entrega el niño a María.)* Muchos han venido a ver al Niño, por causa de que los pastores han divulgado las nuevas de su nacimiento. Hace apenas dos semanas, imagínense, vinieron desde Persia y Babilonia tres grandes sabios, con ricas vestimentas, y reconociendo la divinidad y el señorio de Jesús, le adoraron y le ofrecieron oro, incienso y mirra. Fue algo maravilloso; estamos sorprendidos de las misericordias de nuestro Dios.

JOSE.— *(Con una ligera sonrisa.)* Y con ese oro, Dios

nos proveyó para los gastos del viaje a Egipto. ¿No es admirable?

JAEL.— Ahora veo que había razón para que nos viniéramos a Palestina. Dios estaba dirigiendo a papá.

(En eso entra súbitamente Abiatar, el Rabbí. Todos se sorprenden al verlo, se quedan como queriendo decir algo, pero él les pide silencio y les dice lo siguiente:)

ABIATAR.— Bendito sea Jehová que me ha concedido este gozo sin igual. Y su paz repose sobre vosotros todos, las reliquias de Israel. Lo que tanto anhelaba mi corazón, hoy lo estoy experimentando. Dios me dijo en revelación que nuestro Mesías ya había nacido. Ahora moriré en paz. Sólo siento que la mayoría de nuestros príncipes y de los sacerdotes del templo permanecen inadvertidos de este acontecimiento glorioso. Es que se necesita de fe y de humildad para reconocer al enviado de Jehová.

(Entonces, arrodillándose delante del Niño, con las manos hacia arriba, dice:)

Oh Niño-Rey, los pobres y los humildes, los de sincero corazón, te damos la bienvenida en este mundo. Tú eres la demostración cumbre del inmenso amor de Dios. Sé tú el Guía de tu pueblo y el Redentor de las almas. Hénos aquí tus siervos, queremos hacer tu voluntad.

(Se levanta y se sienta. Hay breves instantes de silencio sobrecogedor.)

SARA.— Cuánto nos alegra verte, Abiatar. Nos hacía falta tu presencia.

ELIUD.— Mucho te debemos, Abiatar, pues tú desde que estabas en Egipto, nos has sido un guía espiritual.

JAEL.— Yo debo confesar que cuando vivíamos en Alejandría era muy apática a las cosas del Señor; el Rabbí Abiatar me parecía muy necio y fanático, pero Dios ha tocado mi corazón y ahora mi deseo firme es ser fiel a su palabra, y honrar el nombre de nuestro recién nacido Rey. Gracias, Abiatar, por todo. *(Estrechando las manos de Abiatar.) (Otra vez unos instantes de silencio.*